Primera edición, diciembre de 2018

info@westindies.eu

Edición, corrección y maquetación: Colectivo Fut i Makak
Fotografía de portada: Asís Ayerbe

ISBN: 978-9949-7288-1-7
Impreso en Masquelibros
Impreso en España – Printed in Spain

MONTERO GLEZ

Sangre callada
Relatos rescatados

Edición de

Colectivo Fut i Makak

West Indies
Publishing Company

Sangre callada

El cadáver quedó disponible a primera hora, en el edificio de la Avenida Marceau, un palacete requisado por los alemanes.

—Es tan bella como el nombre de una puta —asintió el marqués, igual que si diera el visto bueno a una pieza de caza.

—Todavía está caliente —zanjó el policía español, un tipo de ojos redondos y sucios como dos pesetas roñosas, y que respondía al nombre de Pedro Urraca.

El marqués hizo que no le escuchó y afiló la mirada sobre el cadáver como el que afila un lápiz. Clavó los ojos en la boca abierta y se fijó en las sienes, una de ellas algo hundida por la cercanía de los golpes; los cabellos pegados al desgarro mortal que había vaciado la sangre.

Escuchó el zumbido; la mosca de la carne que volaba alrededor de los zapatos de tacón, cubiertos con el brillo callado del polvo. La mosca se fue a posar en una de las manos del cadáver. Tal vez, horas antes, como si profetizara su propio destino, aquella mujer había pintado sus uñas del mismo color que la sangre.

El marqués hizo una mueca, soltando un silbido por la nariz que el policía interpretó de la única manera posible. A pesar del tibio calor de junio, el policía llevaba traje cruzado, corbata, y una gabardina negra sobre los hombros que parecía confeccionada con alas de vampiro. Dicho esto, el policía buscó en uno de los bolsillos la cajetilla de tabaco. Cogió un cigarro y lo llevó a los labios.

El marqués sacó su cartera y tendió unos billetes que el policía miró de reojo para, acto seguido, meter la mano en el bolsillo de su gabardina y rebuscar la caja de fósforos. El marqués apreció el significado de aquel gesto y dejó caer los billetes en el bolsillo abierto.

El policía, sin mover la sonrisa de sitio, encendió el cigarrillo. Puro trámite. Después de guardar la caja de cerillas, cerró el bolsillo de su gabardina. Dinero para engrasar el mecanismo burocrático. «Ahí tiene». El marqués había soltado el dinero con alivio, producto de un extraño complejo de culpa que el policía advirtió, en mitad del salón desvencijado.

—No te preocupes por él, no va a hablar —dijo el policía, señalando el cadáver de un hombre, un poco más allá.

Se trataba de un hombre de mediana edad al que habían machacado las mandíbulas para arrancarle el oro de los dientes.

—Defunción por hemorragia, ya sabe, la medicina forense tiene palabras para todo.

El policía español, mientras hablaba, mantenía el cigarrillo entre los labios y los ojos entreabiertos, cegados por el humo. Con un movimiento rápido de sus manos, se llevó los dedos grasientos al cigarrillo y arrancó la última calada, tirándolo a la alfombra y restregando sus suelas sobre la colilla.

—¿Su marido? —preguntó el marqués.

El policía no contestó, miró al marqués como si conociese sus rincones más oscuros y luego dijo:

—El dinero separa a los hombres durante la vida y la guerra. Con dinero se puede beber vino en plena guerra, comprar las marcas más caras de licor y tabaco. Todo de contrabando. Además, con dinero y vino blanco puede uno emborrachar a mujeres a las que olvidar a la mañana siguiente en la habitación de un hotel elegante —no sé si me explico.

El marqués asintió y dijo:

—Así es, olvidadas a la mañana siguiente, una vez consumada la urgencia.

Pero el policía se adelantó, haciéndole ver que no había descubierto algo valioso, que el verdadero placer quedaba en los márgenes, ahí donde el vicio más vulgar acucia. El marqués y el policía se estaban entendiendo. Al fin y al cabo, ambos buscaban lo mismo. El marqués siempre tuvo un gusto decadente por los detalles más íntimos de la vida sucia y lo ponía en práctica cada vez que encontraba el cadáver de una bella mujer. Un momento de sombra y contacto para sentirse vivo, el latido que anuncia la batalla inminente de la bestia interior en un París ocupado por el hambre y el orden. Bautizar la carne muerta con semen, como dicen que fueron bautizadas Sodoma y Gomorra.

El policía clavó en el cadáver de la mujer las monedas roñosas de sus ojos y dijo:

—Para que usted vea que no es cierto lo que cuentan los periódicos que se viola a las mujeres sentenciadas a muerte. Se las viola después.

Sin más, el policía salió de la habitación, cerrando la puerta tras de sí. Entonces el marqués se dispuso para el sacramento acercando su cuerpo al olor exacto de la muerte.

Agüero

Era poco dado a la fantasía y eso lo reflejaba en sus novelas, siempre realistas. Tal fue así que cuando le invitaron a una ceremonia vudú, más que asombro mostró indiferencia. Ante su estado, el viejo de la tribu se acercó a preguntarle con qué mano escribía.

A lo que el escritor respondió adelantando su mano derecha. Entonces, el viejo acercó el cuenco donde habían desangrado un gallo e indicó que la metiera ahí, la mano. Así hizo el escritor.

Al día siguiente, para ejercitar su inventiva, agarró papel y bolígrafo y se puso a describir lo que tenía cerca: la bandeja con restos del desayuno y la jarra del zumo, intentando detallar los dibujos que esmerilaban el cristal. Pero no pudo, se quedó con la mirada sobre la línea en blanco. Arrugó el papel y lo rompió. En ese momento, la jarra se hizo añicos. Entonces se dio cuenta: todo lo que ponía o quitaba sobre el papel, se cumpliría.

Para asegurarse, escribió un relato donde otro novelista, más laureado, moría en un accidente. Fue terminar de escribirlo y cumplirse el augurio. Así decidió escribir una novela autobiográfica donde, por primera vez, conquistaría el terreno de la fantasía. El protagonista sería él mismo que, por un pacto con el diablo, conseguiría laureles de reconocimiento. La escribió en su refugio de invierno, junto al fuego de la chimenea. Fue terminarla cuando sonó el teléfono. Al ir a cogerlo tropezó, cayendo el manuscrito a las llamas. El escritor se llevó la mano a la cabeza, pero no porque no tuviese más copias, qué va. Fue porque el calor le subía, abrasándolo vivo.

El año que no jugamos

Se sirvió del partido de fútbol para negociar su suerte. También la de los demás prisioneros, algunos sin edad de entrar en quintas todavía. Ofreciéndose para componer el aparato de radio, los oficiales italianos iban a tener la oportunidad de seguir la retransmisión del partido y él la oportunidad de seguir con vida.

Ocurrió el año en el que no jugamos al fútbol sino a la guerra. El campeonato se celebró en Francia y la sombra bélica amenazaba con el apagón de Europa. El prisionero había sido capturado junto a otros en una batalla que luego llamarían del Ebro. Escuché su historia hace tiempo. No me dijeron el nombre, pero sí que era flaco como una raspa y un manitas cuya habilidad no se limitaba a poner explosivos pues también era astuto a la hora de tratar con el enemigo. Ayudado por unos cristales de galena se puso a ello y siempre cuidándose de inutilizar la radio con disimulo después de cada encuentro. Para hacerse imprescindible.

En el partido Alemania-Suiza, cuando el locutor anunció que la escuadra nazi saludaba con el brazo en alto, los oficiales cambiaron de mano sus pistolas para imitar el gesto. Entonces la radio emitió el vocerío. Eran los aficionados galos que respondían al saludo con las gargantas afiladas. Muy a la mala estaban cantando La Marsellesa y el asunto ofendió tanto que el prisionero a punto estuvo de romperse los nervios del todo.

Durante la semifinal Italia-Brasil, el prisionero pudo alargar su condena gracias a los árbitros. Ya puesto, inutilizó la radio hasta la próxima que enfrentaría a Italia contra Hungría. «Vencer o morir» fue la consigna que recibieron los jugadores de parte de Mussolini. Los futbolistas se jugaban la vida y la del prisionero, que puso como condición, antes de montar la radio, quedar libre si Italia ganaba.

Los primeros minutos los vivió intentando poner el miedo boca abajo. Asunto difícil, pues los oficiales acercaban sus pistolas cada vez que los húngaros acechaban el marcador. Cuando un tal Sarosi regatea a tres italianos y pasa la pelota al gol, Italia queda condenada al empate y el prisionero cierra los ojos. No los volverá a abrir hasta que la selección italiana reaccione por dos veces.

El segundo tiempo arranca mal para el prisionero, con el tal Sarosi marcando el siguiente gol, aunque pronto un italiano lo arregle de tacón, batiendo al arquero húngaro por última vez. Sobra decir que el campeonato lo ganó Italia y que los oficiales celebraron la victoria actuando como si los prisioneros fueran el trofeo.

La trampa del diablo

Para María, que me coloca

Cuando el mal es interior, el Diablo no deja de ser fiel ni en el mayor de los paraísos. Con arreglo a esta fórmula y desde el paraíso de la infancia, no me resultó difícil convocarlo. Fue ponerme a la labor y aparecérseme de inmediato. Y aunque aquello ocurrió un invierno y yo todavía era un crío, es prudente que haga referencia al suceso para entender lo que vendría a la postre, años después, cuando una noche de agosto me disponía a viajar en tren y por la cara. Pero no adelantemos acontecimientos y volvamos al paraíso de mi infancia; a la noche de mi primer encuentro con el Diablo.

El muy cabrito vestía capa escarlata y un sombrero borsalino que, de haber sido a medida, hubiese pasado por elegantón. Con diez tallas más hubiese lo- grado ocultar sus encrespados cuernos. Supuse que aquel sombrero debió de haber pertenecido a otra cabeza, tal vez a la de algún infeliz al que no quiso despachar el Diablo. Otro más que le iba con el cuento de querer venderle un alma podrida de asperezas. Y como dice el refrán que más sabe el Diablo por viejo que por cornudo, pues se debió de sentir tangado y se negó de principio. Sin embargo, esto sólo fue una estrategia de tantas que se gasta el muy cabrón. Es fácil imaginar que después de mucho tira y afloja, el Diablo aceptaría el trato. Pero con una condición: la de incluir el sombrero borsalino en la misma oferta. Caprichitos. Sin embargo, conmigo no puso pegas. La transacción se hizo en un periquete y aunque en un primer momento me tragué el anzuelo, con el paso del tiempo me daría cuenta de que también me había tragado el sedal y parte de la caña. Y así andaba el asunto, cuando trece o catorce años más tarde y cansado de convocarle para que me devolviese un alma que ya daba por perdida, trece o catorce años más tarde, digo, le volví a ver. Fue la noche del 17 de agosto del 89, no se me olvidará en la puta vida pues el asunto vino acompañado de un eclipse de luna.

Eran otros tiempos y todavía se podía viajar de gorra. Los servicios de transporte público eran mucho más públicos que los de ahora y te podías colar en cualquier tren o autobús y no digamos metro, con la misma facilidad con la que decimos joder. Hoy las cosas han cambiado tanto que no son ni una pálida sombra de lo que fueron. Solo hay que pasarse a echar un vistazo por la misma estación de Atocha. Por haber hay hasta escáner y además apenas hay chaperos. Y todos aquellos yonquis que lucían en el vestíbulo durante los años ochenta, hoy abonan el suelo de los cementerios de la capital. Y después de situarnos en un marco con tan virulentas molduras sigamos con aquel entonces, pues yo acababa de coger por los pelos el expreso con destino a San Fernando, provincia de Cádiz, que anunciaban los roncos altavoces. Como es natural en estos casos, andaba por el último vagón, el de atrás del todo, me acababa de subir y aún no me había dado tiempo a reparar en el revisor. Tuve potra, pues el fulano andaba por la locomotora y empezaba a picar por los primeros coches. El chivatazo me lo había dado una familia de gitanos que ocupaba uno de los compartimentos. Y fueron ellos mismos los que de manera hospitalaria me cedieron un sitio en su aposento y me acoplaron en lo alto, donde van los equipajes. Que decir no quede que siempre he sido un tirillas y que no me resultó difícil ovillarme allí arriba y pillar postura bajo las maletas. Pero antes charlé un rato con ellos, con los gitanos. Se mostraron muy bonachones conmigo y no sólo me ofrecieron cigarrillos sino que también me invitaron a compartir su comida: una tartera de arroz en blanco con garbanzos, melón y latas de sardina, todo ello regado con vino de bota. Yo les dije que buen provecho y que muy amables han sido ustedes, que ya había cenado y que, por favor, una vez se hubiese borrado el revisor me avisasen para salir del escondrijo. Sí, compadre, me dijo el más vie- jo. Pero al final no fue así y se quedaron dormidos. Con los inaugurales ronquidos y una vez pasado el primer siglo para mis huesos, empezaron las sospechas. Y cuál fue mi pasmo, cuando al retirar de encima los equipajes me los encontré durmiendo a pierna suelta, unos encima de otros. El vino de la bota, pensé. Y fue al ir a saltar al suelo, que la puerta se abrió y con tan mala pata que caí encima del interventor. Un hombre calvo y bigotón que era lo más parecido a un forzudo de circo y que en esos momentos hacía su entrada en el compartimiento. Y se armó la marimorena. En la siguiente estación descendí de un puntapié.

Si el forzudo hubiese sabido lo que de él pensaba, me hubiese atado a la vía del tren y hala, a esperar que pasase el siguiente. Pero algo se debió oler el muy perro, pues puso en aviso a otro bigotazo que al parecer era jefe de estación y que me esperaba en el andén con una orden de alejamiento de su territorio. Todo esto a gritos. Y no me quedó otra y me vi caminando la noche adentro, por los campos de una tierra de cuyo nombre no guardo memoria. Tan sólo recuerdo el cricricri de los grillos como si lo escuchase ahora. Cricricri, cricri-cri. Y fue que la luna oscureció de repente y servidor no había terminado de rumiar el refrán ese que dice noche oscura y guarros negros, el Diablo dé con ellos, y servidor no había terminado de decirlo, cuando le vio de nuevo. Llevaba el mismo sombrero e idéntica capacidad de cornamenta. Apenas le dejé hablar. Siempre he sido un puto impulsivo y le grité que era un estafador y que le había entregado mi alma a cambio de que me diese el oficio más antiguo del mundo, el de contador de historias. Después de echarle todo por la boca, el muy cabrón enroscó el dedo pidiéndome que me acercara. Y fue acercarme y empujarme al suelo. Confieso que opuse firmeza, pero que sólo al principio, pues al poco pensé que no sólo se conformaba con mi alma y que al igual que en las ofertas y por el mismo precio quería pudrir mi culo, virginal y sin as- perezas. Y confieso también que no se puso uno, sino dos condones, y que me porculizó de una forma atroz y que durante el tiempo que duró el asunto creí tener fuego en vez de rabo. Han pasado trece, catorce o quince años y desde aquel verano hasta al día de hoy sigo sin poder sentarme. Esa es la única razón de continuar en pie y de ser eso que llaman un culo de mal asiento.

Al sur de tu cintura

Para Raúl del Pozo, gitano de Cuenca. Y para Julio Ollero, de los Carabancheles

Todos en el barrio le conocíamos como Pucherito. Según algunos era cuarterón, de madre gitana y padre julai y extranjero del cual no guardaba foto ni consejo alguno. Hay incluso quien apunta que su padre era rubio como la cerveza y hay otros que dicen que gastaba peluquín. En lo único que se ponían de acuerdo era en lo poco que duró la siembra. Parece ser que entró a por lumbre donde la madre trabajaba y, previo pago, ella le encendió el cigarro hasta convertírselo en colilla. Buscándole las cuentas al almanaque, la cosa debió suceder en el noviembre de mil novecientos cincuenta y poco. Y se le puso Julio por patronímico al tocarle venir al mundo el mismo mes que lleva ese nombre. Al no reconocerle ningún padre cualquiera, por apellidos llevaría los de su madre que son Pinto y Pinto. A causa de ello en la escuela recibió las burlas y las guasas, refiriéndose a su persona como Pinto doble. Sin embargo, Pucherito dejó la escuela bien pronto, tan pronto como cayó en cuenta de que en el reparto le había tocado la porción más estrecha del embudo. Con la ley en contra tuvo que callar maullidos de tripas y mitigar dolores de conciencia. Así ocurrió y desde que el bozo anunciaba sombra ganó sus primeros jurdós. Y como una cosa trae la otra, le dio por ponerse a juntar mantecas en el buche. Y eso sumado a la estatura, herencia de madre, le hicieron el mote de Pucherito. Sin embargo, aun ganando en hechuras nunca perdió agilidad ni grandeza a la hora de pegar una patá por bulerías. Y no digamos cuando le daba por bailar la farruca, con su cabriola incluida, actividad con la que Pucherito alcanzó esos momentos de gloria que todo humano persigue, aunque solo sea por un rato. Llegó a compartir cartel con el gran Antonio por el mundo, y decir no quede que también anduvo por París con Vicente Escudero, del que aprendió a poner el porte y el puro. Por aquel entonces se le anunciaba en letras grandes y las luces que alumbraban sus pasos parecía que no iban a apagarse nunca.

Debido a la nocturnancia y alevosía del oficio, Pucherito trató con infinidad de mujeres. Y decir no quede que las hubo pelirrubias, pelinegras y que también las hubo depiladas. Consumido por el placer que lleva consigo abrir una cartera bien repleta de jurdós y poder elegir pelambre, Pucherito agotó su fortuna en jolgorio corrido, sin pensar nunca que un día le pudieran faltar los dineros y menos aún la cuerda de mujeres. Así es la vida, un castillo de naipes que, en el momento más inesperado, plas, se viene abajo de golpe. Y como Pucherito nunca fue de los que amontonan para cuando el infierno se congele, pues así le vino el trapo al amigo. Ahora es un juguete roto que a veces sale de permiso un par de días, sobre todo en Navidades, y como no tiene nada mejor que hacer y tanto trullo le aburre, se da un garbeo por el barrio. Fue en uno de esos paseos que me contó la historia de cómo le entraron.

—Ocurrió en uno de esos días de gloria, cuando se me rifaban los tablaos y de Torres Bermejas pasaba al Chinitas y de allí al Corral de la Morería donde a Dios gracias nunca me faltaba currelo. Tampoco el roneo de las bailaoras más jóvenes. Raro era el día que cuando tocaba recogerse no me entrase alguna. Y no te digo las guiris.

Sin embargo, Pucherito había catado a todas y andaba ahíto de tanta gachí. Lo que le empezaba a picar era el vicio de las timbas que se organizaban una vez acabado el espectáculo. La rutina carnal le había puesto a cierta distancia del roneo con bailaoras y a más distancia aún de las guiris.

—Por decir no quede que me jugaba hasta los gayumbos al chiribito. Acababa al día siguiente cuando daba la hora de abrir.

—De eso me acuerdo bien, Pucherito. Joder, que sí.

Antes de continuar he de decir que yo era asiduo y puntual a las timbas de Pucherito, en las que nunca faltaba un periodista del tipo chuleta, mirada chispera y andares estiraos al que todos llamaban el

Faisán. Curtido en las aulas sagradas del chiribito, todavía resuenan en mi cabeza sus descartes.

—Total, que no había hecho más que empezar la partida y mi menda ya andaba más tieso que la pierna el Tato, por lo que tuve que pedir al dueño del tablao un anticipo a cuenta, que los llaman.

Han pasado muchos años desde entonces pero el recuerdo está fresco como un banco recién pintado. Al final, cuando el dueño del tablao le vino a Pucherito a negar el adelanto, justificándose en su descargo que era por su bien y no por el suyo, Pucherito amenazó con pegar la espantá a Torres Bermejas, un tablao que hay por la Gran Vía donde le camelaban. Entonces el Faisán entró con el reto.

Por aquel entonces Madrid contaba con dos salidas. La una era el aeropuerto de Barajas y la otra, más barata, el viaducto de la calle Bailén. Y como razón no le falta al dicho y lo barato sale caro, si tomabas la segunda no había vuelta de hoja. Tan solo un saltito y adiós muy buenas. Un descalabradero que parecía he- cho para tales ocurrencias. Asomarte a la baranda era una invitación difícil de rechazar. Un saltito de nada y hala, a terminar con los sesos esparcidos en esa calle que llaman de Segovia y que antes fue barranquera. A poco de allí y más abajo del terraplén de las Vistillas, existe un tablao que lleva por nombre Corral de la Morería y que es el sitio donde Pucherito a punto está de pegar la espantá.

—No hay cojones a cruzar el Retiro por la noche. —El Faisán le retaba.

—Por la fetén y ahora mismo, me maten a mí.

—¿Ahora? Anda ya.

—¿Cuánto te apuestas?

Y no terminó la cuestión cuando el Faisán saltó como un resorte:

—¿Hace un quilito[1]?

No está de más decir que el Faisán hacía apuestas por cualquier cosa. Un par de días antes apareció una gachí en el tablao. La fulana vestía un vestido de esos que la hacían más desnuda que sin nada encima. Luego fue hasta la barra y allí pidió un güisquito. En vaso largo. Cuando agarró el vaso, todos los allí presentes nos llevamos la mano a la bragueta. Entonces el Faisán provocó la apuesta:

—Pucherito, a que no la tumbas.

A un servidor le extrañó el envite, pues era de sobras conocida la afición de las gachís al empuje de riñones que Pucherito se gastaba; sin embargo, bien mirado y tratándose del Faisán y de su vicio por los retos pasaba por cosa natural.

—¿Cuánto te va? —preguntó Pucherito.

—Dos mil duros.

—Dale tiempo a que se tome la copa.

1 En los tiempos del Cordobés, un millón de pesetas en billetes grandes pesaba un kilo. De ahí que al millón de pesetas se le denominase así. Hoy en día, aunque no existen las pesetas y aunque su equivalencia sea distinta, se sigue denominando igual al millón de euros.

La gachí se tomó la copa y al ir a pedir la segunda Pucherito se presentó ante ella. Aquí Pucherito, primera figura del flamenco, etcétera, etcétera. Y así que Pucherito se la cameló con la facundia que le es propia. Cuando la puerta se cerró tras ellos empezaron las risas entre nosotros. Pucherito recordó el episodio como si tal cosa, quitándole hierro y carne. Pero yo no me di por vencido y al final Pucherito se soltó a hablar.

—Cogimos un peseta[2] que había en la puerta y que andaba con el pimiento puesto. La gachí no dijo na en to el camino. Fue al poco de montarnos que las manos fueron al pan y que mis entendederas se iluminaron por completo. Los pocos jurdós del envite eran el precio que el Faisán pagaba por su burla. Aquella gachí tenía to de gachí menos lo más importante, me maten a mí, que le colgaba como gachó. A la noche siguiente, en el tablao, la cuenta de mi bolsillo engordó tres mil duros y las orejas se hicieron sordas a to los comentarios que arrastraba mi sombra. Qué más quies que te cuente.

Pucherito traía del trullo la mirada quejosa, el hablar espeso de gargajos y la tos del que fuma para matar el rato.

2 Así se denominaba a los taxistas por tener costumbre de no redondear el precio y andar siempre con cifras complejas a la hora de cobrar el servicio. Esto, sumado a que nunca disponían de cambio, les hizo ganarse el apelativo. Ahora, con la entrada en vigor del euro, hacen lo mismo, tal vez por lo mismo a los taxistas en Madrid se les siga llamando de igual forma.

—Los tres mil duros no me duraron na, tú lo sabes que al rato tenía ya los bolsillos en barbecho. Y fue cuando el Faisán se arrancó con el envite. Por no que- dar como braguillas y sobre todo lo demás por trincar los jurdós, acepté.

Recuerdo que Pucherito tenía que entrar por la puerta del Ángel Caído, cruzar el parque y salir en O'Donell, esquina Menéndez Pelayo, donde le esperaba el Faisán. En eso consistía el trato.

—Y con la jindama en la garganta, mi menda se puso a ello.

Le imaginé una vez más, las hojas crujiendo a su paso y los murciélagos del terror revoloteándole en las tripas. También imaginé las gotas de orina que se escaparon pierna abajo. Con la brasa del pitillo, Pucherito iluminaba un camino que le llevaría directo a la ruina.

—Lo mejor de todo iban a ser los jurdós, un quilito que vendría al pelo. Pero ni con esas el canguelo se desprendía de las tripas.

Hay que apuntar, para quien no sepa, que el Parque del Retiro es uno de los pulmones de Madrid que dicen en las guías turísticas. Y que fue montado en los gloriosos tiempos aquellos que nuestros gobernantes se empeñan en recordar, cuando reinaba un rey tan cruel como torpe, si es que ambas cosas no van unidas en los monarcas. El rey en cuestión era Felipe IV y montó el sitio como cazadero. Se dice que entre la maleza habita un duende benigno y republicano que hace florecer el amor entre las parejas que hasta allí van a retozar. Bah, mariconadas de las guías turísticas. A la noche, en el parque del Retiro lo único que hay son sombras amenazadoras que destilan cuidado.

—Lo peor, o mi menda eso creía, lo peor, digo, ocurrió al llegar hasta donde la estatua del Ángel Caído.

Y ahí debió ser cuando la orina le calentó los gayumbos a Pucherito, pues no solo la estatua se movió y batió las alas durante unos segundos que parecieron siglos, sino que una música dramática le taponó orejas y abrió su trasero. Fue la nariz la que avisó. Y con los gayumbos chorreantes, Pucherito se puso a correr y fue, llegando al estanque, cuando la música ensordeció para dejar paso a unos gritos que rompían la noche en dos mitades. En una mitad estaba él con la respiración forzada y el desasosiego de las peores pesadillas. En la otra mitad estaba Satán, encarnado en una apuesta que iba a ser su propia ruina.

—Los bramidos venían de una canoa que cabeceaba en mitad del estanque, me maten a mí si miento. Arrimado a la baranda mi menda alcanzó a ver la figura de una gachí pidiendo auxilio.

Entonces me volvió a contar lo que yo sabía de otras veces, que Pucherito agarró una de esas canoas que se alquilan a los guiris y a las parejas de enamorados.

—Nunca había visto una moribunda tan cerca, me maten a mí. Si es que era como un maniquí al que hubieran retorcío to el cuello. Amanecía en Madrid y no sé la hora, el peluco también lo perdió mi menda en la timba. Pero a lo que iba, que la gachí, además del cuello retorcido como una fregona, tenía un cuchillo clavado en el corazón. De seguido pensé en sacárselo, me maten a mí, pero luego caí en cuenta de que aquello podía ser fatal. No sé quién había dicho que lo que mata no es la hoja que entra sino la que sale. A to esto la gachí seguía quejándose en un idioma que no era el mío, tal vez hablaba con el Diablo o con la propia Muerte, vete tú a saber.

Y le vino la tos de nuevo.

Pucherito me siguió contando que remó hasta la orilla más cercana. Y con un esfuerzo que desató tripas y salpicó gayumbos, logró sacar el cuerpo del bote y lo fue arrastrando por to el Retiro, así hasta llegar hasta O'Donell, semiesquina Menéndez Pelayo, donde había quedado con el Faisán.

—Pero el Faisán no estaba. Cagonsusombra.

Qué me iba a contar Pucherito si el Faisán seguía conmigo, en el tablao. Dijo que era inútil acercarse hasta allí y que como cagón que era Pucherito no iba a cumplir por mucho quilito que hubiese en juego.

—Así que me dispuse a parar un taxi —siguió contando Pucherito— y me cagué en Dios, en el Faisán y hasta en el mismísimo Diablo varias veces, tantas como pesetas pasaron de largo. Hubo uno que no mostró vacilación alguna al tiempo de clavar los frenos. Para entonces yo ya tenía las ropas empapadas de sangre negra.

Lo que pasó después yo lo sabía por otras lenguas. Así, me contaron que el taxista hundió el pie en el acelerador y que les dejó en la puerta de un hospital que queda por la avenida Menéndez Pelayo, uno muy importante y que ahora mismo no recuerdo el nombre. Lo que sí que recuerdo es que pidió un recibo y que el taxista se lo firmó con esa caligrafía que se gastan los que han de pensar al escribir. El recibo forma parte del sumario, un mamotreto del que logré sacar copia y que ahora estudio con morbidez de gayolero. De todo lo leído hasta el momento lo que más me ha llamado la atención ha sido la descripción del arma homicida. Un instrumento capaz de acabar no solo con el maniquí, sino también con Pucherito, con el Faisán y hasta con el mismísimo Diablo.

—Nada más entrar al hospital se llevaron a la moribunda por uno de esos pasillos que huelen a midicina. Y ya no volví a verla más. Pero te juro por lo que más quiero en el mundo, que es mi libertá, que todavía respiraba.

Un enfermero de batín blanco y zuecos a juego le señaló a Pucherito la sala de espera. Al rato aparecieron dos de la pestañí y empezaron con la ristra de preguntas, cuestiones de rutina, dijeron. Cuando Pucherito se interesó por la salud de la gachí, los de la pestañí se rieron pues no era ninguna gachí, aunque lo pareciese. Sin embargo, eso a Pucherito no le sorprendió. Ya estaba acostumbrado. Lo que le sorprendió fue saber que la gachí o el gachó llevaba algo más de dos días fiambre. Y fue entonces y solo entonces cuando para Pucherito empezó la verdadera pesadilla.

—Mi menda te cuenta la verdad pues lo malo de andarse con embustes es que requieren esfuerzo. Con la verdad uno no necesita pensar demasiao.

Así que Pucherito dio con sus huesos en el talego. Primero en Carabanchel, hasta el otro día que lo cerraron y le entraron en un trullo más chachi donde llegó a codearse con el Mario Conde y con otros pájaros por el estilo. Cada vez que le pregunto por la vida allí dentro siempre contesta que a todo se acostumbra uno, incluso a la falta de gachís que se suplen de la manera más común. Salivazo y zambomba.

—Aunque de vez en cuando entran a algún novato de sieso prieto y como dice el dicho, en tiempo de guerra todo agujero es trinchera. Ya sabes. —Y luego, entre tos y tos, va y me cuenta que tiene tal vicio que si le dan a elegir entre el trasero del Brad Pitt o el de la María Teresa Campos, se queda con el primero—. Y no por eso mi menda es julandrón. Si uno elige el sieso del Brad Pitt es porque el fulano lo lleva depilado.

De lo que le quedaba pendiente, de eso mejor ni hablar. Con todo, cada vez que llega Navidad y debido a la veteranía y buen comportamiento de Pucherito en prisión, la autoridad le da permiso. Es entonces cuando Pucherito se da un garbeo y se acerca hasta el barrio y al final acaba en el tablao de las Vistillas donde arranca esta historia y siempre hay algún joven bailaor que necesita de alguien que le enseñe a poner el puro a la manera de Vicente Escudero. Ni que decir tiene que, aunque hayan cerrado el viaducto a los suicidas, si por algo se ha distinguido Pucherito ha sido por ser hombre de recursos y salidas.

El secreto de la Garbo

Para Nicole Muchnik

Se decía que era tan tímida que ni siquiera acudiría a su propio entierro. Se llamaba Greta Garbo y, aunque su verdadero nombre era otro, todo el mundo la conocía como la Divina. Había llegado a Hollywood desde las frías tierras escandinavas y muy pronto atrajo la atención por su voz bronca, de una virilidad desconcertante, y también por el escalofrío que se reflejaba en sus ojos, negros y de una calidad cercana a la pólvora. Sin embargo, sobre todo lo demás, la Divina destacó por poseer una misteriosa sonrisa. De una dureza atemorizante.

Entre otros muchos, el fotógrafo Cecil Beaton confesó que contemplar a la Garbo tras el objetivo de una cámara era como estar presenciando las más remotas profundidades del rostro humano. El crítico Kenneth Tynan dijo de ella que lo que uno ve en otras mujeres estando borracho, lo encuentra en la Garbo estando sereno. Y Juan Marsé, que la conoció en persona, dejó escrito que era alta, de hombros un poco demasiado anchos y senos discretos y con un escalofrío pectoral como si andara resfriada. En resumidas cuentas, la Garbo no pasaba inadvertida. Era como un trozo de hielo al fondo de la copa vacía. Siempre a la espera del licor que la derritiese. Todos los que tuvieron la suerte de trabajar con ella resaltaban su sentido escénico, cualidad que la Garbo manejaba con la frialdad propia de una esfinge. Un mecanismo innato que le hizo ganarse las envidias de las actrices de la época. Cultivaba enemistades igual que otras cultivan orquídeas. Entre su escueto círculo de afectos destacaba el del escritor Aldous Huxley, el del astrónomo Edwin Hubble, candidato al Nobel y portada de la revista Time, y la devoción de un gurú cuyo nombre era lo más parecido a un trabalenguas, Krishnamurti Prabhavananda, o algo así. En la reducida lista de aprecios no podía faltar el nombre de Salka Viertel, consejera, confidente y perra guardiana de las puertas de su sexo. Su obsesión por la Divina llegaba a tal extremo que los más allegados se referían a ella como la Sombra. Con el tiempo, se uniría al grupo otra mujer de andares machos y con la cual la Garbo mantendría relaciones de las llamadas ocultas. Su nombre: Mercedes de Acosta.

La tal Mercedes de Acosta era mujer viril, de hombría latente y seductora para todas aquellas que, al igual que la Garbo, se balanceaban en el trapecio de la incertidumbre. Poetisa y mujer de teatro, entre las conquistas de Mercedes de Acosta figuraba la Dietrich o la mismísima Isadora Duncan. De verbo tentador y mirada penetrante, no había mujer que no flaquease ante sus propósitos. Mercedes de Acosta vestía a lo macho con traje de tres piezas y tacón plano, indumentaria que había llevado desde chica pues su madre esperaba varón y como varón trató a la niña, llamándola Rafael en vez de Mercedes. Y así fue criada en una hacienda cubana, entre libros, partituras y todo ese polvo novelesco que envuelve las leyendas de los aparecidos y demás fantasmas. Por su infancia pasaron, entre otros personajes, la reina de Rumania, el escritor Anatole France, el escultor Rodin y el compositor Igor Stravinsky.

Más que por gusto personal, fue por imperativo materno que Mercedes de Acosta se casó con un muchacho de la alta sociedad de Chicago. Era guapo, rico y unos cuantos años mayor que ella. La noche de bodas fue algo muy especial, tanto que Mercedes la pasaría junto a su madre. Ya por aquel entonces soñaba con poseer a la Garbo, que aunque no del todo lesbiana, se comportaba como si lo fuera. Dispuesta a compartir con ella el salto de trapecio planeó una estrategia amorosa donde la pólvora sexual incendiaría el campo de batalla de su lecho. Pero volvamos a la Garbo.

Con el despertar de la pubertad y los primeros picores, se entregó a juegos clandestinos con su hermana Ava. Perversiones subiditas de tono donde no faltaban la vela, la güija ni los tocamientos impuros. Un pasatiempo que era resultado de la excitación y del miedo y que, desde muy temprano, albergó sospechas no solo de incesto, sino también de retorcido lesbianismo. Fue en una de estas sesiones cuando el vecino las descubrió. «Sé lo que haces con tu hermana, pero yo te enseñaré cómo se hace de verdad.» Al no encontrar placer en la experiencia primera de la carne, la Garbo rechazaría amantes de la talla de Onassis, el naviero, un hombretón que hubiera dado el oro y las astillas por calentarle el vientre con los quilates de su esperma. La Garbo nunca pudo disimular su aborrecimiento hacia la especie masculina. Por lo mismo, cuando en su vida se cruzó la virilidad de la tal Mercedes de Acosta, la Garbo no pudo más y se rindió ante unas habilidades sexuales que hicieron la delicia de su entrepierna.

Todo empezó un invierno, cuando Mercedes de Acosta llegó hasta la casa que la Garbo tenía en San Vicente Boulevard, donde vivía protegida por su guardiana y confidente Salka Viertel. Años después, Mercedes de Acosta escribiría su primer encuentro con la tinta con que se escriben los conjuros amorosos. «Cuando nos estrechamos las manos y ella me sonrió, fue como si la conociera de encarnaciones anteriores. Era hermosa[3], mucho más de lo que parecía en sus películas. Vestía un jersey blanco y pantalones de marinero azules. Sus pies estaban desnudos y, al igual que sus manos, eran delgados y delicados. Su precioso cabello lacio llegaba a sus hombros y llevaba una visera de tenis blanca echada hacia delante, tapándose un poco el

3 Las memorias de Mercedes de Acosta se publicaron en 1960 con el título Here Lies the Heart.

rostro, en un esfuerzo por ocultar sus extraordinarios ojos, que poseían una mirada de eternidad.» Cuando Salka bajó a hablar por teléfono, Mercedes de Acosta escribió: «Nos dejó a Greta y a mí solas. Hubo un silencio, un silencio que ella pudo manejar con gran tranquilidad. Greta siempre puede manejar con maestría un buen silencio. De repente, miró mi brazalete y dijo: "Qué bonito brazalete". Me lo saqué de la muñeca. "Lo compré para ti en Berlín", dije». Y así empezó todo.

Dos días después tuvieron otro encuentro, también en casa de la Garbo. Un desayuno. Salka Viertel, en vista de lo que se avecinaba y ardiendo de celos, sugirió que la dejasen sola y que cogieran las dos y fueran a una casa cercana, la del escritor Oliver Garret. Allí, sobre la alfombra, con el rumor del mar envolviendo sus miradas, bailaron pegadas la una a la otra. Desde ese momento, la Garbo no conseguiría quitarse de encima el aroma a macho que Mercedes de Acosta desprendía.

Tan pronto como las lenguas afiladas de Hollywood empezaron a hablar de la novia de la Garbo, Mercedes de Acosta y Salka Viertel se convirtieron en competidoras. Como era de esperar, la batalla la ganaría la Viertel, veterana en lances amorosos que seguiría guardando las puertas de la Garbo hasta que un buen día esta decidiese abandonar las luces de Hollywood para siempre, recluyéndose en Nueva York, en un apartamento donde no existían los espejos. Sin embargo, antes de la retirada, cuando Mercedes de Acosta y la Garbo rompieron, la primera se despidió de la segunda con su estilo bronco, salpimentado de esa poesía que tantas entrepiernas había abierto, recordando su primer encuentro y regalándole una hembra de gran danés que respondía al nombre de Sombra. «Para que no me olvides.»

La perra era de color negro azulón y presencia majestuosa, de silueta bien proporcionada y temperamento amable, sobre todo cuando llegaba la noche. En la soledad de su apartamento neoyorquino de la calle 52, la Garbo primero apagaba las luces y luego esperaba que Sombra subiera hasta su cama, donde el calor de su hocico le incendiaba la mata del pubis. Los lametones eran intensos, de abajo arriba, alterando la carne con el salvaje perfume de la fiebre animal; deteniéndose en la perla escandinava cuya dureza deshacía su lengua perruna. Desde el trapecio de la carne, la Garbo balanceaba las caderas, una, dos, tres veces, antes de pegar el salto al vacío. La compañía de Sombra vino a llenar el hueco de cualquier amante. Y así pasaba las noches la Garbo, apagando la luz y registrando en su oscuridad toda una gama de sensaciones interiores, hasta que llegó el desenlace fatal que pocos conocen y que dejaría una mezcla de asombro y desamparo en sus ojos hasta el final de sus días.

Ocurrió una noche de invierno, una de esas noches neoyorquinas en que hasta los dientes de las ratas castañetean de frío. La Garbo apagó la luz y como cada noche sintió bajo su cama removerse a Sombra. Sin embargo, esta vez era distinto, por los ladridos le pareció que la perra se violentaba demasiado, incluso que tardaba en subir hasta su cuerpo. Será una rata, se preguntó, una de aquellas ratas que buscando el calor de las alturas había llegado hasta su apartamento y ahora irritaba a Sombra. Será una rata, se preguntaba la Garbo. Y estuvo a punto de encender la luz cuando notó el calor del aliento en su entrepierna. Aquella noche, la Garbo se desató en un orgasmo continuo que la hizo gemir hasta las lágrimas. Sería el último de su vida.

Pero no adelantemos acontecimientos, pues fue a la mañana siguiente, cuando las primeras luces del alba se filtraban en la habitación, fue a la mañana siguiente, al ir a levantarse, cuando sus pies se hundieron en el charco viscoso de la sangre. Y la Garbo pegó un grito que todavía hoy se escucha en la calle 52. A los pies de la cama, Sombra estaba muerta, cosida a cuchilladas. Quienquiera que hubiese sido se había ensañado de lo lindo, desgarrando panza y cuello al animalito. Quienquiera que hubiese sido traía hambre de sangre, apetitos que no del todo sació. Después de matar a Sombra, quienquiera que fuese se atiborró de carne.

Greta Lovisa Gustafson, más conocida como la Garbo, moriría años después, el 15 de abril de 1990, a la edad de ochenta y cuatro años. Los que gustan de hacer uso de la leyenda comentan que el día de su entierro no se presentó a la cita y que en los días de frío se la puede encontrar paseando por Nueva York. Pero eso son habladurías, fábulas de las llamadas urbanas. Lo único cierto en todo es que a la Garbo la enterraron entre lágrimas y coronas blancas y que fue a la tumba sin haber podido aclarar los dos misterios de un mismo secreto.

Sin mierda en las tripas

Para Felisa Iturbe

Lo tramaron en la misma boca del metro, alrededor de una fogata que se apagaba por momentos. Era asunto fácil, cogerían al Luisete, le echarían una pastillita al descuido y, en menos de lo que se tarda en decir joder, el Luisete caería fulminado. Sabe Dios o el Diablo que le iban a randelar hasta el último céntimo.

—Y hay que andarse al loro con que al cartón le quede un culo del vino, compadre. Que no corren tiempos pa derrochar.

El que así hablaba era el Cuchichi, natural de Badajoz y carrilero de los de pedigrí. Lucía la piel cetrina y el bigote espeso, igual a un crespón negro sobre la herida abierta de la boca.

—¿Toa la pirula? —saltó el Raspa, la voz ronca de flemas y la brasa del cigarrillo quemándole los dedos.

—No, compadre, solo una miajita, que la Futi anda con el mono y se la trapicheamos por un billete, que tú le dejas a mi menda con la transasión.

—Eeeeh, Cuchichi, ande vas, ande vas, que los ruinoles son míos. —El Raspa lanzó la colilla a la fogata.

Tenía los ojos arañados por el cansancio. No le gustaban los listos y el de Badajoz era uno de ellos.

Por si no lo he dicho antes, estamos en navidades, dentro del pasaje subterráneo que cruza la calle Alcalá a la altura del Banco de España. El antedicho pasaje es domicilio obligado de la gallofa madrileña y cuadro de soperones, lampas y tuberos que conviven dejados de la mano de Dios o del Diablo. En días tan significativos como son los navideños, provocan en el transeúnte una rara mezcla de asco y piedad. La misma que lleva a apurar el paso y mirar hacia otro lado. Pues bien, uno de los miembros más veteranos de la citada gallofa era el Raspa, natural de Madrid, o eso decía, y flaco como un listón. El tal Raspa se trabajaba el horario de misas de la iglesia que llaman de San José. No pelaba un puto día, dándole igual que tronase, nevase o que cayesen chuzos de punta. Y envuelto en una manta de las que da la caridad, los ojos en blanco, la mano extendida y en ese plan, el Raspa se acomodaba en la puerta de la iglesia repitiendo una y otra vez la misma letanía: por Misericordia, una limosnita, que estoy sin mierda en las tripas. Y cuando por misericordia una limosnita caía en el vaso de plástico, el Raspa cambiaba el discurso, felicitando las Pascuas y deseando un Próspero Año Nuevo, así y como suena, con mayúsculas, para volver otra vez con lo de la limosnita y la mierda en las tripas. A pesar de la facilidad aparente con la que el Raspa ejecutaba su trabajo, el asunto requería cierto sacrificio. Pero a Dios gracias, o al Diablo, por el invento de la Misericordia Cristiana, que en fechas tan significativas ni vino ni tabaco faltaban, como tampoco faltaba mierda en las tripas. Incluso había momentos en los que el Raspa cedía ante ciertos lujos, como anteayer, cuando sacó de la farmacia una caja de ruinoles. Al Raspa le daba por pensar y se le hacía mala sangre.

—Cuchichi, me maten a mí, que las pirulas las aforó mi menda.

—Shhh, calla, compadre, alguien viene. Se escuchaba el eco de unos pasos—. Al loro, que es el Luisete.

El Raspa se restregó los ojos en un intento de precisar la figura que se les acercaba, borrosa aún, culpa del humo de la puñetera fogata. El Cuchichi se le arrimó con camelancias; directo a la oreja:

—Anda compadre, ve y dame la mitá del ruinol que mi menda lerenda se lo pone al Luisete. Lo otro te lo queas tú y se lo vendes a la Futi. Y santas pascuas. Que se muera papa que yo no quiero na.

El Raspa se echó mano al bolsillo y sacó el último ruinol que le quedaba. Se lo llevó a los dientes y lo partió en tres pedazos que escupió en la palma de la mano; las uñas como mejillones y cubierta de roña la línea que llaman del Destino. Y el Cuchichi que, ni corto ni perezoso, va y se apaña los trozos más grandes. Lo hace en un pispás, muy resuelto él y sin darle tiempo al Raspa a cerrar la mano, dejándole a este con la palma vuelta hacia arriba y una mueca deformándole la jeta. Teví a sacar las asaúras hijoeputa, malbajió el Raspa. De fondo, el eco de unos pasos cada vez más cercanos.

Hay que aclarar que el Raspa iba armado con un cuchillo de cocina. Se lo había conseguido hacía ya tiempo, en un comedor que quedaba por Sol, al lado de un cine al que llamaban el Palacio del Terror. Estamos hablando de cuando allí se proyectaban películas de Bela Lugosi, Paul Naschy, Jess Frank y Narciso Ibáñez Menta. Cuando la gente que hacía cola para sacar las entradas era confundida con los de la gallofa que aguardaban turno para lo de la sopa boba, un caldo tibio, color escabeche y que sabía a líquido de frenos. Pero no nos distraigamos, volvamos al pasaje subterráneo que cruza la calle Alcalá, donde tenemos al Raspa que empuña el cuchillo y maldice. Y también tenemos al de Badajoz, compadre, enmascarado en un humo cada vez más negro.

—No me tires de los cojones, que teví a tener que meté una bacalá y no son fechas. Oíste.

Y siguieron los juegos florales, pues tanto el Raspa como el Cuchichi poseían un perfecto dominio del idioma, algo que no le viene mal a una ciudad como Madrid, cuna y sangre de gramáticos desde los tiempos de Maricastaña. Y lo que pasó a continuación lo vamos a contar de seguido y como buenos gramáticos que somos, pues pasó lo que tenía que haber pasado, o sea, que como el Cuchichi también iba armado, llevaba navaja de a tercia, pues se desjarretaron el uno al otro y el otro al uno y viceversa. Y también pasó que el Luisete no apareció hasta las tres horas o así, cuando el juez de guardia hubo levantado los cadáveres y en el pasaje solo quedaba un humo espeso que picaba en la garganta. Ajeno a lo sucedido, el Luisete arrojó su manta al suelo y se tiró sobre ella. Y fue al estirar la mano cuando encontró los pedazos de algo que parecía masticable. Se los llevó a la boca y, como sabían a midicina, se incorporó de seguido y le pegó un viaje al cartón de vino. Y en menos de lo que se tarda en decir joder, el Luisete cayó rendido en un plácido sueño.

El último sacramento

Para Enrique Sánchez Abulí, Silver Kane y el Mosquerita

Hace la tira de años, durante el tiempo de los piratas, colocaban luces de mentira a lo largo de la costa. Y las disponían con tan mala uva que los barcos encallaban en la noche, creyéndose que las luces eran faros. En estos casos, los gritos no cesaban hasta bien entrado el alba, de amanecida, cuando el canto del gallo anunciaba el fin del saqueo.

Desde entonces hasta hoy, las cosas no han cambiado mucho por estos lugares. Mirándolo bien, sigue habiendo luces que engañan y sigue habiendo piratas trabajándose la costa. Y de eso trata la historia que nos ocupa y cuyo protagonista es Roque, un hombre de la mar al que todo el mundo llama el Roque, pues aquí, en el sur, las gentes honran al prójimo de una manera muy especial, que es plantándole a la altura de las cosas. Pero empecemos por el principio, que es por donde empiezan todas las cosas. Y en el principio, aparte del Roque, andaba cerca el coronel Peralta, panza de botijo y vozarrón de mando.

Ar.

—Aquí se paga por marea, la mitad ahora y la otra mitad cuando alijes. —Además de la culata del revólver, su barriga lucía un lamparón fresco. Para ser exactos de carne mechada.

—No me apetece un cagao, pero si me paga un poco más empezamos a hablar. La vida ha subío mucho, sabeusté —el Roque contestó entre dientes, con el cigarrillo sin encender ajustado a la boca. Quería escapar de la sospecha y que el coronel no le viera interesado en la verbena. Dar pol saco, que él decía, pues el dinero que Peralta podía ofrecer era papel para bocadillos comparado con lo que se iba a sacar después del palo. Rascó una cerilla y prendió el cigarro—. Un quilito más y mireusté que aquí me tiene, dispuesto pazalí esta noche.

—Tú mismo, o comes garbanzos o comes piedras, elige —el coronel Peralta, con su vozarrón, que cerraba la oferta como el que pega un portazo. Plam. La grasa brillaba en su barbilla, lo más parecido a un currusco de pan mal cocido y peor disimulado entre los pliegues de la papada.

S in embargo, al Roque no parecía importarle esto último, pues hacía rato que había decidido distraerse con el trasero de la Sole, que iba y venía con la bandeja y con el garbo. Cada vez que paraba a servir una mesa lo encabritaba de tal modo que al Roque le hacía creer en Dios y hasta en el mismísimo Diablo. Bendito sea Dios que hizo tu culo pa que todo lo demás se quedase pequeño, mascullaba entre dientes. Bendito sea Dios o el Demonio, seguía el Roque con la letanía, como si el coronel Peralta no existiera, posando los ojos en aquel meneo de caderas que de tan natural resultaba obsceno. Mató el cigarrillo y se pasó la lengua por los labios. Bendito sea Dios, que cuando la Sole se acercó hasta su mesa a retirar los platos, el Roque le pegó una sardineta en el culo que resonó en la plaza como un estampido. Ella le devolvió una mirada que quería decir mucho, miles de hogueras chisporrotearon en la noche de sus ojos. Recogió el último plato, pasó la bayeta y, con andares de yegua alazana, la Sole entró en el bar. El coronel rio a las carcajadas y el Roque apuró su cerveza, arrastró la silla y fue tras la Sole.

Por si no lo he dicho antes, estamos hablando de Conil de la Frontera, un pueblo marinero de la costa gaditana, con sus nidos de cigüeñas, sus vírgenes y sus tabernas. Y es en una de ellas donde empieza esta historia de piratas, una taberna chica que lleva por nombre La Gigantilla y que está situada en el centro del pueblo, en la misma plaza de España. Pues bien, en el instante en que el Roque hizo aparición en la taberna, la Sole andaba en la cocina, fregando.

—Un par de cajetillas del güinston, Sole, se las pones en la cuenta al coronel.

Ella hizo como que no le escuchaba y siguió con el fregoteo. El Roque sospechaba lo que la Sole quería, por eso cruzó la barra y corrió la cortina de chapines. Ella miró de reojo; podía advertir su figura, el aroma que todo él desprendía, una fragancia espesa que le provocaba cosquilleos en el bajo vientre y que disparaba sus resortes más íntimos. Sintió el calor pegado a la braga y se quitó los guantes y fue hacia él, que seguía impasible, apoyado en el marco de la puerta, envuelto en sombras.

A todas las mujeres les faltaba cordel para atarle. A todas menos a ella, que sabía cómo manejar un buen macho. Sacó a la loba que llevaba dentro y le buscó la lengua. Y con la lengua le buscó los contornos de una virilidad que se conocía de memoria. Hincó las rodillas al suelo. Con los dientes le desabotonó la bragueta. Cielosanta. La naturaleza del Roque era de un grosor semejante al de los vasos de cubata, cayó en la comparación a la que guerreaba con el miembro entre las manos. Cielosanta, Roque. Cerró los ojos y acarició con violencia. Era robusto como un fardel de cables gordos. La Sole tragó hasta enterrar sus labios en la mata alborotada de rizos. Bendito sea Dios, Sole, benditosea. Al Roque le aparecieron diminutas gotas de sudor en la frente. Bendito sea Dios, Sole, bendito sea que el Roque sospechaba lo que la Sole quería. No era difícil. Sin pedírselo le estaba pidiendo el acrobático número de siempre, aquel en el que ella es penetrada en vilo contra la pared, a la vez que le rodeaba con sus piernas los riñones. Uuhmmmm. Y fue que la Sole apartó a un lado el elástico de las bragas cuando él dijo que no, Sole, que no, que esta noche salgo a la mar. Le daba que el coronel iba a aceptar y lo único que necesitaba el Roque era ganar tiempo y durante ese tiempo entretenerse. También conocía la extenuación después de navegar con delicia dentro de un cuerpo como el de la Sole, por eso el Roque renunció a seguir y la sentó sobre la mesa espolvoreada de harina y pan rallado. Ella sintió el vacío, el intervalo clavado entre los muslos. Bendito sea Dios, que el Roque agarró una jarra, propaganda del Ricard y que contenía hielo. Y que la vació en su acusada erección hasta convertirla en un cabo de cuerda gruesa y retorcida. Aagggh. El Roque apretaba los dientes como si estuviera triturando. Bendito sea Dios, Sole. Ella se tumbó en la mesa y, cocida en su propio caldo, engañó al hambre con los dedos. Hubo un destello de acero en sus ojos y un maullido de gata herida que le estranguló la voz.

Al final el coronel había aceptado y ahora el Roque sentía la noche metida en la barca. La luna era negra y soplaba viento de poniente, que es un viento claro que facilita las cosas y que cala los huesos si no llevas pelliza. Sin embargo, el Roque se sabía de otras veces que nada abriga más que un arma de fuego. Por eso siempre que salía la llevaba encima. Con las primeras luces del faro, el Roque se puso a bordo de una zodiac, una goma, que la llaman. Era un asunto fácil, ya lo había hecho otras veces, solo que esta vez no iba a ser tan pringao. Esta vez no iba a devolver los fardos, ni mucho menos. Con los fardos en su poder, negociaría con el coronel, qué coño. El Roque redujo la velocidad, se acercaba hasta el punto, un barco pesquero anclado en aguas marroquíes con una media luna pintada en la aleta de estribor. La consigna era Salamarecum. El Roque se aproximó al pesquero, paró el motor y gritó la consigna haciendo bocina con las manos. De inmediato escuchó una voz que le respondía Arecumsalam y, sin ninguna delicadeza, le arrojaron las sacas que fueron cayendo, una tras otra, en la trasera de la goma. Debido al peso, la zodiac cabeceó con violencia y el Roque tuvo que echar mano de una de las trinchas. Cajondiós, moromierda. Sin tiempo que perder, el Roque colocó los fardos, tiró con rabia del motor y se puso de vuelta. No había peligro de nada, el coronel había comprado a las patrullas en ambas orillas. Todo Dios respetaba al coronel Peralta pues su cartera siempre tenía la última palabra. Como aquella vez que se encaprichó de una mujer que salía en los carteles del circo ruso, «No se lo pierdan, dos únicas funciones», rezaba la propaganda donde aparecía ella, rubia como la peseta, colgada de un trapecio y con un traje de lentejuelas que le ceñía el escote y le coronaba los pechos. Se casaron por la iglesia, en la parroquia de Santa Catalina. Él iba con fajín, charreteras y traje de gala, además de los pantalones flojos. Los llevaba tan caídos que con los bajos barría los regalitos caninos que alfombraban la calzada. Ella iba de blanco y cuentan que ni vestida de novia había perdido los aires de ramera. Se llamaba Bárbara Kurkrovich o algo así, y el Roque la conocía de oídas, pues cuando lo de la ceremonia él andaba en el trullo. Sabía por otras lenguas que era mujer de clítoris pipotudo y que olisqueaba los grifos de las fuentes públicas como una perra. Sin ir más lejos, el Lunarejo se calentaba la boca contándole a todo el pueblo que se beneficiaba a la rumana. Y que lo hacía a espaldas del coronel y cada vez que se le requería para una chapuza o para arreglar los setos del jardín. Una pipa asín de grande, picha, te das la vuelta y te da por culo, contaba el Lunarejo por los bares de Conil. Parece ser que el coronel la tenía enclaustrada en una negra mansión del cabo de Roche, donde no faltaban sus sauces llorones a la entrada ni tampoco la piscinita con forma de riñón. Una pipa asín de grande, picha, decía el Lunarejo, y se ponía a hacer chistes a costa del coronel. Su marido solo le da gusto a la rusa cuando se quita de encima, picha, solo cuando se quita de encima, seguía el Lunarejo con la sonrisa en cardenillo.

El Lunarejo era un pelín exagerado, pero algo de verdad había en todo aquello que contaba pues un buen día el Lunarejo desapareció. Según algunos, se lo llevaron a alta mar y allí lo despacharon calzándole unos zapatitos de cemento. Antes de sacrificarlo, un cura le dio la extremaunción, pues el coronel era un hombre de respeto con la vida y con los sacramentos de la Santa Madre Iglesia. Sea esto último cierto o no, el Lunarejo, además de un pelín exagerado, era un pelín bocazas. Según él, lo que más le gustaba a la tal Bárbara Kurkrovich era untarle el miembro en manteca colorá antes de chupárselo. El Roque no había probado nunca esta última cuestión y allí en la Zodiac, surcando la noche del Estrecho, el Roque imaginó que a la Sole le gustaría el detalle. En cuanto llegase a la costa y arreglase precios y diferencias con el coronel, lo probaría. Primero que se la untase bien untada y luego le hiciera el chupachús. Como premio empujaría hasta que los resortes del catre chirriasen en sus orejas igual que el casco de un barco en alta mar. Bendito sea Dios. A pocas millas de la costa el Roque convocaba con la imaginación la violencia del placer. Y en esas estaba cuando oyó el rumor, levantó la vista y vio aproximarse una patrullera de la guardia civil, una Heineken que las llaman por su parecido con el color de las latas de cerveza. Venían a por él. Cajondiós.

El Roque llevó el motor al límite, se encorvó sobre él y sacó la pistola del bolsillo de la pelliza. Veía las luces de la costa pasar veloces y, entre todas ellas, distinguió la del faro Trafalgar. También distinguió el centelleo cada vez más cercano de la Heineken aproximándose a babor. Cajondiós, Roque, que te trincan, mascculló entre dientes. Siempre quedaba el recurso de tirar los fardos a la mar, pero eso era impensable para el Roque, así que paró el motor y dejó que se acercaran, que los guindillas tomasen posición. El que ignora su miedo es débil y el Roque, que no era débil, sintió el tiburón del terror navegarle entre las tripas cuando el foco de la patrullera cegó sus ojos. Entonces alzó las manos en señal de rendición y, cuando tuvo a tiro a los de la Heineken, puso en marcha la escaramuza. Uno de los guardias civiles fue a bajar, el Roque se tiró a lo largo de la goma, agarró la pistola y disparó sobre él. El guindilla se dobló como una navaja, tanto como su barriga dio de sí, y luego cayó al agua. Glu, glu. El Roque aprovechó el desconcierto y, sin tiempo que perder, tiró del motor. Lo hizo con la presteza de un pirata versado en mares, tormentas y saqueos. Y aceleró cortando el paso a la patrullera por la proa. Luego serpenteó alrededor del casco, disparando a diestra y siniestra, volviendo locos a sus ocupantes, que intentaban rescatar el cuerpo sin vida del compañero. Y así, con una mano en el timón popero y la otra en la pistola, el Roque salió de la emboscada. Bendito sea Dios, que fue en la Fuente del Gallo, al ir a desembarcar los fardos, cuando se dio cuenta. Solo entonces reparó en que todo había sido una trampa. Era jachís mojado, jachís del malo, de ese que no vale un cagao y el mismo que utilizan para los señuelos, para los pringaos. El coronel se la había jugado. El Roque se daba cuenta de que había hecho el primo. Cajondiós, gritó cuando vio el material. Le habían tomado por molde de tontos para que los de la pestañí le trincasen mientras una carga de calidad llegaba a la costa y sin problemas. «Aquí se paga por marea, la mitad ahora, la otra mitad cuando alijes.» Cajondiós, que no había podido cazarle y ahora lo iba a pagar. Por sus muertos que el coronel lo iba a pagar. Se encendió un güinston y cargó la pistola, todavía caliente. A lo lejos se oía el zumbido de un helicóptero.

Sabía dónde encontrar al coronel. A esas horas de la noche andaba en el Garum, un puticlub situado a la entrada de Conil. El coronel era cliente asiduo, de esos que piden cosas especiales. Las chicas se lo contaban todo al Roque, pues de vez en vez se pasaba por allí a tomar una copa, a cerrar algún negocio o a probar el material, vaya. Entró en el local y, acodados en la barra, columbró a dos de los hombres del coronel. Estaban comprobando la buena salud de una negrita recién llegada de Cabo Verde y lo hacían de una manera tan burda que bien merece explicarse.

Habían pedido a la de Cabo Verde que, por favor, les diera la espalda o el culo. Y puercos de salivas, manosearon las partes a la vista. Cuando el tacto llegó hasta la pipa o clítoris, pellizcaron trayéndolo hacía atrás. De esta forma se comprobaba la buena salud de la carne, pues si al operar de este modo en la pipa la chica juntaba las piernas o se retraía, o bien las dos cosas, revelaba que la carne la vendía enferma. Y en esas andaban los hombres del coronel que no vieron al Roque entrar y dirigirse a la barra. Y preguntar por su jefe. La encargada, que se hacía llamar Samira y que era de la Guinea, le dijo que estaba arriba, que acababa de subir con Jaira al número tresse. La de la Guinea se arrepentiría de haber dicho esto último, pero ahora sigamos. La tal Jaira nació dominicana y no se llamaba Jaira ni era del todo mujer, pues gastaba un paquete de estibador que hacía las delicias del coronel. Masaje prostático, que lo llaman, realizado con mucho mimo y por el recto. Sin embargo, cuando el Roque tiró la puerta de la habitación número tresse, aún estaban con los preliminares y el coronel Peralta andaba arrodillado, haciendo lo que suele hacerse en esta postura. Vestía un corsé rosado y tenía la bola en la boca. Chup, chup. Jaira, en pie y totalmente en cueros, apretaba los ojos y se dejaba hacer; las manos largas y afiladas sobre la calva sudorosa del coronel. Así, así. Chup, chup.

—Bueeenas.

Ante la visita, el mamón se quedó de una pieza. El Roque, con el dedo en el gatillo, dio instrucciones. Sigue chupando, cerdo. Y le atornilló el cañón de la pistola a la cabeza a la que hizo una seña a Jaira para que se apartara. Sin más preámbulos le vació el cargador. Cuando los hombres del coronel subieron, revólver en mano, hasta la habitación número tresse, se encontraron con las paredes jaspeadas de sangre y cartílago. Jaira se cubrió con el ropón de la colcha las vergüen- zas y con la otra mano indicó hacia la ventana, por donde el Roque acababa de saltar.

El Roque llegó a pie hasta el portal de la Sole. Vio luz en la azotea y fue a llamar al timbre, cuando se acordó de la manteca colorá. Y fue a buscarla en el único sitio donde a esas horas podía encontrarse, y que era donde la Juana. Y aquí nos vamos a detener pues, aunque viuda, la llamaban la Juana por esa costumbre de anteponer el artículo a los nombres de las mujeres de mala vida. Aclarado esto sigamos, pues la Juana vivía arriba de su negocio, una tienda de comestibles donde no faltaban los aguacates, ni los condones, ni el hielo picado. Tampoco el güinston de contrabando. Así que bajó a abrir en camisón y, por decir no quede que, cuando vio al Roque, a la viuda se le alegró la vista.

—Cuánto tiempo, Roque. A estas horas, pensé que era una pareja buscando preservativos, qué te trae por aquí, pasa, pasa.

La Juana puso los ojos pintarrajeados en el bulto que marcaban los tejanos. Pasa, pasa. A pesar de los años cumplidos, al Roque le seguía excitando aquella mujer, las piernas largas y su carne de mullida celulitis. Gallina vieja, buen caldo hace, masculló para sí. La Juana no se contuvo y frotó sus pantorrillas en la recia tela de los tejanos. Pero él dijo que no, que venía a por manteca colorá y que hoy no podía ser, que cualquier día de estos, que había quedado. A la viuda pareció no hacerle gracia esto último y se retiró despechada y se perdió por un pasillo. El Roque imaginó que iba a la trastienda a por la manteca colorá y se quedó esperando. Y en la espera evocó la tarde en que la Juana lo desvirgó, cuando ella todavía tenía el culo más incendiario de toda la costa y él no había cumplido los catorce. Fue en la playa de los Bateles, junto al río y sobre una barca salpicada de caracolillo. Y en esas cosas andaba el Roque que, cuando se quiso dar cuenta, ya era tarde. Alguien había entrado en la tienda de comestibles y le apuntaba con una pistola. Era uno de los hombres del coronel Peralta.

—Altoahí, no te muevas que disparo.

Se lo llevaron a alta mar y le calzaron unos zapatitos parecidos a los del Lunarejo. En un barreño hicieron la mezcla, cemento rápido, y allí que le metieron los pies. Pero antes de estrenarlos y lanzarle por la borda, y justo después de que el cura acabase con la extremaunción, el Roque con la voz rota de adentro pidió un último deseo: una mujer. Al principio los hombres del difunto coronel se molestaron por el capricho. Algunos pedían un cigarrillo, otros un vaso de agua o de vino, una bolsa de patatas o un plato de caviar, pues también los había muy finos. Pero una mujer, que supiesen, naide la había pedido. El cura les indicó que la última palabra del que va a morir hay que respetarla. Y así donde primero llamaron fue donde la Sole. Pero esta contestó que no, enojada dijo que para esos menesteres fueran donde la viuda, pues todo el pueblo se hacía lenguas. Qué hacía el Roque donde la viuda a esas horas si le daban alergia los preservativos. ¿Comprar tabaco? Mentira, pues al final se había llevado un cartón de güinston a cuenta del coronel. Convencidos, los hombres del coronel fueron donde la viuda, que fue la que había dado el chivatazo y todavía estaba de buen ver. Esta les dijo que no, que ella del Roque no quería saber nada y que fueran donde la Sole, pero que antes, y si ellos gustaban, podía ofrecerse a ellos. Y así fue, y con las manos vacías y los genitales también, los hombres del coronel llegaron a alta mar. Allí esperaban los demás junto con el cura, para ajusticiar al Roque a bordo de un velero de tres palos que el coronel había bautizado como El Manila. Estaba amaneciendo y el Roque sentía la imposibilidad de mear clavada en la vejiga. El sol le cegaba y el hormigueo de los pies dormidos en el cemento le hinchaba las piernas y los cojones, que por decir no quede. Todos los allí presentes calcularon la dificultad de conceder un último deseo al Roque. El cura se negó a que le ajusticiaran y los hombres del coronel se embarcaron de nuevo y volvieron a la costa a regañadientes. Una vez en tierra firme se pusieron a la labor de buscarle mujer al Roque. También pusieron una bolsa de cien mil pesetas en billetes grandes, para pagar los servicios de la que quisiera conceder el último deseo al Roque, pero ni con esas. Fueron con la oferta al Garum, al puticlub los Lagos y al de los Gurriatos, así como al Don Tico, este último situado en Jerez de la Frontera, junto al aeropuerto, pero toda puta rechazaba el ofrecimiento. Nadie quería saber nada con el asesino del coronel, ni por cien mil pesetas ni por todo el dinero del mundo. Y con el atardecer, cabizbajos y con la bolsa intacta, se embarcaron en el bote y volvieron al *Manila*.

El crepúsculo era sangriento y el Roque se orinaba, todo muy poético. Y fue cuando iba a pedir que, por favor, se la sacasen, pues un hombre de su calidad no iba a orinarse encima. Y fue cuando iba a pedir esto último, cuando divisó la barca, un tajo de espuma que venía a su encuentro desde la costa. Era una embarcación de recreo que conducía una mujer de dorados cabellos y con un rizo rubio que le caía sobre un ojo. Bendito sea Dios, qué mujer, suspiró el Roque con la orina contenida en su erección de burro. Al principio pensó que se trataba de un espejismo y que bien podría ser la muerte, o una mujer enviada por la propia muerte. Una dama vestida con velos transparentes que se untaban a su anatomía y que venía a darle el último beso, pensó el Roque en su delirio de fiebre. Y no anduvo muy descaminado nuestro amigo, pues en cuanto la subieron a bordo, dijo que venía a por la bolsa y que estaba dispuesta a hacerle el amor a aquel apestado. Bendito sea

Dios, que al Roque le cortaron las ligaduras que amarraban su silla al palo mayor y también las que le anudaban las muñecas. Y, sin tiempo que perder, aquella hembra del demonio le volvió loco con la lengua, para después sentarse sobre él y jinetear sin riendas sobre la carnosa montura, abrazada a su cuello, sintiendo la música del Roque en cada latido. Así estuvieron hasta bien entrada la mañana, que fue cuando las campanillas tocaron a duelo. Y sin más dilación y sin pararnos en los detalles finales, al Roque le empujaron por la borda, con los huevos rugosos y calzado con unos zapatitos a medida. Solo decir que cuando el cura se acercó a la extraña mujer y fue a darle la bolsa con las cien mil pesetas, esta la rechazó.

—No, por favor, con este dinero páguele unas misas al apestado.

Entonces el cura preguntó que de parte de quién, si es que podía saberse, y ella frunció la boca y pronunció su nombre:

—De parte de Bárbara Kurkrovich, la viuda del coronel Peralta.

La favorita

Para Trini

Cangas de Narcea queda por Asturias. Rico en carbón, fabada y vaca lechera, también es pueblo muy nombrado por ser patria chica de los serenos de Madrid. Sin ir más lejos, Isidro Cabrales, sereno del barrio vecino a Palacio, era natural del mismo. Armado con chopo grueso y manojo de llaves al cinto, Isidro Cabrales entraba a trabajar a la noche y lo dejaba a la que pintaba el día cuando, sin ayuda de farol ni lumbre alguna, alcanzaba a contar con claridad las líneas que cruzaban la palma de su mano. Los límites los marcaban el chuzo, el viaducto y algunos portales de la calle Espejo, por donde antes venía la muralla del Madrid morisco. Y con estas, noche tras noche, Isidro Cabrales, natural de Cangas de Narcea, cumplía con los dos objetivos primordiales que todo sereno había de cumplir y que eran, a saber, el de custodiar el sueño del vecindario, uno. Y el otro acabar con él a voces. ¡Las doce en punto y sereno! ¡Las doce y media y sigue lloviendo! Hay que señalar que tanto en Madrid como en Asturias, hora y tiempo son dos cosas bien distintas, aunque se nombren de la misma forma y a la misma vez. ¡La una en punto y sereno! ¡La una y media y sigue lloviendo!

Es una de esas noches en que hora y tiempo se confunden. La lluvia repiquetea sobre los techos de las berlinas, los cocheros corren a refugiarse bajo las cornisas y los caballos, inquietos, hunden sus cascos en las aguas sucias de su propio excremento. ¡Sooooo! Es en una de esas cuando, por la puerta de artistas del Teatro Real, aparece Elena Sanz, figura indiscutible de la ópera. La diva se detiene un instante a saludar a sus fieles que hacen cola bajo los paraguas. Reparte sonrisas, besos y firma autógrafos antes de subir a la berlina. Aunque vive a dos pasos del Teatro Real, pocas veces los anda y nunca si llueve. Isidro Cabrales, el sereno del barrio vecino a Palacio, ha visto su salida. Envuelto en el capote, apura el paso y llega hasta el portal donde ella vive. Como siempre a esas horas, nada más bajar de su berlina, Elena Sanz se encuentra con el portal abierto y con un servicial sereno, todo él inclinado hasta tocar el suelo con la gorra. Al pasar por su lado le araña con su mirada de pantera. Son las doce y media y sigue lloviendo.

Venía de Valencia, no tenía más de treinta años y la Ópera de París se rendía a su voz de contralto, ancha, sonora y dotada de un timbre especial para los efectos dramáticos, que dicen los críticos. Había trabajado en la Scala de Milán, compartiendo cartel y aplausos con figuras de la talla de Gayarre. Sin embargo, más que por su voz, Elena Sanz era célebre por sus amoríos con el rey. La cosa venía de antiguo.

Se contaba que se conocieron en Viena cuando Alfonso XII aún no era rey y Elena despuntaba en las alcobas secretas de la carne. El do sonoro de sus pechos corría de boca en boca. Por este detalle, cada vez que alguien se refería a Elena Sanz lo hacía con el operístico nombre de la Favorita.

Ni que decir tiene que Isidro Cabrales, sereno del barrio vecino a Palacio, estaba encargado de abrir el portal no solo a la Favorita, sino también a su excelentísimo amante. Hay que apuntar que el rey se pegaba sus escapadas de Palacio cada vez que le venía en gana. Por algo era el rey. De dos zancadas se ponía a la entrada de la Cuesta de Santo Domingo, en el número cuatro, donde ella tenía su residencia. El sereno divisaba su larga figura de lejos, el gesto marcial de los andares, la barbilla alta y significativa, y ahí que iba, plantándose en el portal en un periquete, muy servicial él, con su manojo de llaves y doblando el espinazo hasta barrer el suelo con la gorra. Al igual que en un ritual donde todo está pactado, el rey le pagaba el silencio con la cortesía de su imagen grabada en plata. «Buenas noches nos dé Dios.» «Buenas noches tenga usted, majestad», le contestaba el sereno a la que se guardaba la propina.

Sin embargo, aquella noche de lluvia no tenía pinta de aparecerse nadie por allí. Y menos el rey. Por lo mismo, la Favorita, con ganas de cantar a viva voz la Magdalena de Rigoletto, hizo subir al sereno. Daban las dos y media, seguía lloviendo y el sereno lo primero que pensó fue que la Favorita andaría indispuesta. Tal y como estaba la noche, necesitaría algún remedio de la botica. Con una garganta tan delicada a los cambios de clima, no era plan lo de salir a la calle, se dijo Isidro Cabrales, sereno del barrio vecino a Palacio. Aunque, después de la mirada abrasadora con que le había obsequiado, cualquiera sabe. La incógnita se despejó enseguida, lo que ella tardó en desnudarse. Con los nervios, Isidro Cabrales no supo bien si se había dejado el portal abierto. «Da igual, a estas horas ya, pocas visitas», apuntó ella. Y sin más se pusieron a dar rienda suelta a su desahogo. Ella relinchaba como yegua herida y el de Cangas de Narcea tiraba de la crin. ¡Arre! ¡Arre! Hubo un momento en que, además de los alborotos de la carne, le pareció escuchar unos golpes en la puerta. Isidro Cabrales no hizo caso y siguió a lo suyo. ¡Arre! ¡Arre! Cuando los golpes se hicieron más acusados entonces fue ella la que dijo: «¡Sooooo! Creo que están llamando a la puerta. Ocúltate bajo la cama, que voy a abrir».

Desde su escondite pudo reconocer la voz. Era el rey. También pudo ver las botas de caña alta, lustrosas de lluvia. Y sobre todo lo demás, el sable que siempre le acompañaba en cada una de sus escapadas. «Estoy malísima de las muelas», dijo ella con una queja melosa en la voz. El rey la cubrió con la seda de la colcha y besó su frente. «Ahora te consigo un remedio.» Y no esperó a más para salir a la noche. Aprovechando la salida del rey, Isidro Cabrales se vistió apurado y volvió al puesto. ¡Las tres en punto y sereno! ¡Las tres en punto y sigue lloviendo! Y no había terminado de dar el parte cuando divisó la figura del rey, acercándose a través de la lluvia. El sereno ni se atrevió a mirarle a la cara. Entre reverencias y genuflexiones abrió el portal. Pero el rey no entró, qué va, se quedó plantado ante él. Traía una cara que decía: «A mí no me vuelves a ver más en las monedas de plata, gandul». Su mano empuñaba el sable, desafiante con la noche, la lluvia y sobre todo lo demás con Isidro Cabrales, natural de Cangas de Narcea y sereno del barrio vecino a Palacio. «Dé... Déjeme... le... cuente.» Intentó justificarse, pero las palabras se quedaban atadas al nudo ciego de su garganta. Hubo un momento en que el rey desenvainó el sable y empezó a pincharle el pescuezo. «Dónde demonios se había metido.» «Dónde.» «Dónde demonios estuvo.» «Al final, tuve que ir yo mismo hasta la calle Mayor a buscar un remedio.» «A santo de qué, abandona su trabajo.» Por cada queja, la punta del sable le pinchaba un poco más el pescuezo. Eran las tres y media. Y seguía lloviendo.

Barrio de las injurias

Para Luis Alberto, vecino de Madrid

En los tiempos en los que se desarrolla esta historia, el barrio de las Injurias era poco más de dos o tres calles trazadas con mal pulso. Un arrabal indecente que se extendía desde las Américas del Rastro hasta más allá del matadero, pasados los Ochos Hilos, casi llegando a donde Tío Boluco tenía la huerta. Y allí que se perdía el barrio. De esto hace cien años, cuando todavía reinaba don Antonio Chacón en el cante y en España lo hacía Alfonso XIII, hijo de la Restauración y nieto de aquella a la que el pueblo de Madrid sabía puta. Pero no nos despistemos, pues aunque la historia se desarrolle en un Madrid hambriento y tenga como protagonistas a un hombre y a una puta, poco o nada gozan, ni el hombre ni la puta, de los privilegios de Palacio.

Decir del hombre que se llamaba José Merlo, aunque por esa atracción que sufren los madrileños ante los diminutivos, nunca pudo evitar que se refirieran a él como Joselito. Pues bien, Joselito era chispero de los de bigote y mosca, andares aflamencados y pelo brillante de aceite. Y decir de ella, de la puta, que era mujer de tronío, pellejo tostado, pongamos que moreno verdoso, como de campana antigua, y que llevaba la sexualidad cosida al trasero. Y por decir no quede que cuando lo meneaba, ofendía los nervios de todos los que anduvieran en tan rijoso momento. Se llamaba Maruja León y paseaba su anatomía por el Naranjeros, un local chiquito, punto de aventuras dudosas, que contaba con tablao y mesas amarillas de puro antiguas. El Naranjeros estaba puesto frente por frente con el mercado de la Cebada, en la misma plaza donde colgaron a Riego, a mano derecha del camino que lleva a la Puerta de Moros. Y fue aquí, en el Naranjeros, durante una noche de luna fecunda, a punto ya del alba, donde Joselito y Maruja se conocieron.

La noche de marras cantaba Chacón y alternaba su cante con el de un tal Fernando el Herrero. Tocaba Luis el Jorobao que más que tocar removía los sonidos negros de la sonanta. También andaba cerca el Ceniza, que era picaor de la cuadrilla del Gallo y que palmeaba los muslos a Manolita, la camarera que iba y venía con la bandeja y las frasquillas. «Aayyyy chulapona mía.» Aquella noche de luna fecunda, en la que el Naranjeros hervía de propósitos, don Antonio Chacón desvelaría los arcanos del cante rematando una soleá que le quedaba a su garganta como un traje a medida:

Mardita sea mi suerte
que mi novia ma pillao
en la cama con la muerte.

Fue cuando Maruja León se arrancó a bailar en carne viva, haciendo crujir las tablas y las dentaduras, dejándose comer por veinte pares de ojos que la devoraron con una ordinariez excesiva, propia de los tratantes de cerdos. Sin embargo, de todos ellos, fue Joselito Merlo, el chispero de la mosca y el bigote, el que al final se la llevó al catre. Ella quedó seducida, más que por los encantos de Joselito, que no eran pocos, por el dinero que Joselito puso sobre una mesa de mármol, amarilla de tanto fregoteo. Y juntos salieron al gris de la mañana. Dentro quedaron Chacón, el Herrero, el Jorobao, el Ceniza y demás amigos del bronce.

Son horas en que las gentes del mercado ocupan la plaza con sus carretas, sus bueyes y toda la pestilencia que sube hasta las narices como un hierro colado de malos olores. Joselito se lía un cigarrillo, se estira las puntas del chaleco y agarra a Maruja por el talle. La pasea por delante de los puestos como si de un trofeo se tratase. «Ole, ahí mi niña.» Las voces de los vendedores se oyen por todas partes, lo más parecido a una letanía grosera. «Cebollas, patatas, asauras, tomates.» Joselito luce navaja de a tercia en la cintura, por si hay que desbravar a algún macho, y camina con empaque sin soltar a Maruja. Llegan hasta donde se alinean las tinajas de vino. Tinto de la Mancha, Valdepeñas y blanco chiclanero. Joselito y Maruja se hacen arrumacos entre fardos de bacalao y cubetas de arenques coronadas de moscas; embelecos que embrutecen a los machos del mercado. «A cuarto la caja, ni sube ni baja. A cuarto la caja, mira la niña qué raja.» Y fue en una de esas, entre mondas de patata y hojas de berza, cuando Joselito vio por primera vez a la gata. Tenía la piel de un color tan negro como su destino y le miraba fijo y con unos ojos como ascua de oro; unos ojos que se le clavaron jondo, muy jondo, y que le llenaron de arañazos su conciencia de cabrito.

Hay que advertir que Joselito Merlo, protagonista de esta historia, era currinche de la herrería que quedaba a la entrada de la calle Barquillo, además de aficionado a las timbas. La noche había corrido con suerte para él y su actitud no sería reprochable si el tal Joselito Merlo no hubiese estado casado. Ni tampoco hubiera sido reprochable la actitud de Joselito si su santa esposa no anduviera en cama, víctima de una tuberculosis que le trepanaba pecho y entrañas. La Juliana, así la conocían, esperaba a Joselito empapada de fiebre, riñendo con la muerte; la mirada perdida en el techo y los ojos vidriosos, lanzando esputos de sangre en un pañuelo. La escena tenía lugar no lejos del mercado, en uno de esos caserones ocres y achatados que se levantaban próximos al matadero. De cuando en cuando, Joselito volteaba para mirar a la gata que les seguía de cerca.

—Te pasa algo, ninchi.

—Na, cosas mías.

—Convídame a desayunar, ninchi, que ando con el vientre vacío y así me aplico mejor en la cama —retó Maruja León, picarona.

Y haciéndose zalamerías llegaron hasta donde Malacatín, una taberna popular situada en la calle la Ruda, a un tiro de piedra del mercado. Sus desayunos eran de fama y pocos cuartos. Vasito de aguardiente, galleta y terroncitos de azúcar arreglaban el cuerpo de los madrugadores. Don Julián, el dueño, les dio la bienvenida.

—Al fondo hay sitio. Al fondo, al fondo... Maruja y Joselito se pusieron al final del mostrador y Julián preguntó que qué iba a ser.

—Dos desayunos.

Julián secó dos copas con el mandilón y a la que servía el aguardiente, preguntó:

—Entonces qué, sigue Chacón en el Naranjeros. Maruja le contestó que llevaba un rato largo cantando y que el Naranjeros estaba a rebosar. Hizo un racimo con los dedos:

—Así.

Luego, a la que ronchaba un terrón de azúcar, Maruja le siguió contando que en un principio el personal había ido a escuchar cantar al de la Matrona, un gachó jovencillo, sevillano él, que la estaba armando por ahí abajo y al que querían contratar. Pero al final nada, que el tal Matrona era un bocas y que no se había atrevido con Chacón.

—La verdad es otra que yo la sé —saltó

Julián, el dueño, desde el otro lado de la barra, a la que servía a un gitano enjuto que llevaba allí desde antes que ellos—. La verdad es que el del Naranjeros es más agarrao que un chotis.

—A Chacón no hay nadie que le haga sombra —saltó Maruja a la que rechupeteaba el terrón con ruido de salivas—. Nadie.

—Manuel Torre, Manuel Torre, ese sí que es un fenómeno —apuntó el gitano. Y así, sin más, y sin que nadie lo hubiese pedido, se arrancó a hablar de los cantes de fatiga—. El cante jondo nace del tajo y del currelo, de la fragua y del trillo y lo demás son cantes pa señoritos. Por eso el mejor es Torre, gitano de raza y cantaor largo y de fatiga. —Y fue terminar de hablar y apurar de un trago el aguardiente.

—Tú qué sabrás de cante —contestona, Maruja León, a la que ronchaba y tragaba.

Joselito ya andaba caliente y por demostrar su hombría se echó mano a la cintura, allí donde lucía navaja de a tercia.

—El mejor es Chacón, ya ha oído usted a la gachí.

—Ese es un payo que canta como un canario flauta —contestó el gitano con guasa—. Como Torre no ha nacío naide. Naide.

—Torres, torres las de Balmoral —cambió de tercio Julián desde detrás del mostrador. No quería problemas y menos en los que un gitano tomaba parte desde el principio—. Eso sí que son torres. Al final ni austriaca ni alemana. Al final va a ser una inglesa reina de España. Y yo que había votao por la alemana[4] .

Entonces, Joselito se fija en el espejo barnizado de humo donde aparece de nuevo la gata negra que le clava los ojos. Y siente la presencia del crimen recorrer su espinazo.

—Te pasa algo, ninchi.

—Na, cosas mías. —Y agarra a Maruja por el talle y se la lleva—. Venga, vamos que al final el gitano este me va a buscar la ruina.

Y tras pagar los desayunos salen a la calle. El gris de la mañana recupera un poco a Joselito, que se sabe de un cuarto económico donde desahogar la necesidad carnal. Y así se lo hace saber a Maruja.

—Aquí, junto a la plazuela San Millán.

—Será limpio, mira tú que una es más honrá que un tapete hule.

Llegaron hasta un portalón de herrumbre y Joselito, con petulancia de macho, cedió el paso a Maruja.

—Adelante.

Subieron unas escaleras de madera con los descansillos impregnados de orines y otras inmundicias. Un olor a letrina y aguas sucias que

4 A finales de 1905 el diario ABC convocó un concurso entre sus lectores con el título «¿Quién será la futura reina de España?». Según el escrutinio ganó la misma que había elegido Alfonso XIII como esposa.

taponaba las narices. Ella iba delante, con las nalgas encabritadas y mucho movimiento de caderas. A él le colgaban hilos de baba por la comisura de los labios. Cuando llegaron al tercer piso, Joselito señaló la puerta de la izquierda. Salió a abrir una vieja desdentada, provista de nariz ganchuda y ojos chicos y saltones parecidos a los de una rata. Joselito ajustó el precio. El cuarto tenía un balcón a la calle y, según la vieja, daba justo enfrente de donde estuvo la iglesia que guardaba la imagen del Cristo llamado de las Injurias y que fue de donde tomó nombre el barrio: las Injurias, una mancha vergonzosa que se extiende desde las Américas del Rastro hasta más allá del matadero, pasados los Ocho Hilos, casi llegando a donde Tío Boluco tenía la huerta y cerca de donde la santa Juliana seguía riñendo con la muerte entre arcadas, toses y esputos sanguinolentos, a esas horas en que la luz del alba se cuela pobre por el ventanuco.

Joselito pagó a la vieja lo acordado y cerró la puerta. Maruja se tendió sobre el catre y le obsequió con sus muslos abiertos, de carnes más abundantes que escasas. Maruja era hembra de entrepierna jugosa, de amplitud genital y abultada de chichas y semejante a cresta de gallo viejo. Lo que Joselito Merlo tardó en cerrar la puerta se puso con la gimnasia oral de los preliminares, tascando una poza de primera magnitud donde le bailaba la lengua. Después del preámbulo y a punto de pasar a la introducción, Joselito oyó los maullidos. Y cuál fue su sorpresa cuando se dio la vuelta y vio, en el balcón, a la gata negra de nuevo, traspasándole con los ojos a la que arañaba el cristal y provocándole una grima que le arrugó las carnes, dejando de ellas solo pellejo.

—Qué pasa, ninchi.

—Na, que la gata me pone nervioso.

Así que Joselito intentó espantarla con un amago del pie, como si fuera a pegarle una patada. En vista de que la gata no se iba, abrió la puerta del balcón y la dejó entrar.

—Qué vas a hacer, ninchi.

—Na, cosas mías.

Y fue decir esto Joselito y acercarse hasta la silla donde había dejado la ropa. Y revolviendo sacó la navaja de a tercia.

—Oye, no se te ocurrirá…

—Déjame, son cosas mías.

Y fue terminar de decirlo y abrir la navaja en toda su extensión y agarrar a la gata y asestarle dos puyazos.

Uno por cada ojo. La sangre salpicó el piso y los maullidos fueron tan escandalosos que Maruja se tapó los oídos y empezó a gritar:

—No, ninchi, no, no, no…

—Calla, ya te he dicho que son cosas mías.

Como los maullidos no paraban y cada vez se hacían más desgarradores, Joselito cogió un trozo de sábana con el que rodeó el pescuezo del animal y tiró con fuerza hasta que los maullidos cesaron y la gata quedó boca arriba y chorreando por los ojos una sangre tan negra como el destino de su verdugo.

—No, no… no, ninchi, no…

Y no pudo decir más pues Joselito ya la tenía agarrada por el cuello y no quedó contento hasta que pudo cerrar el puño. Ella abría la boca en busca de aire y Joselito se la llenaba con carne, cada vez más crecida, que empujaba la garganta hasta asfixiar. Cautivo de un entusiasmo que no había conocido hasta entonces, Joselito Merlo le dio la vuelta y forzó sus nalgas hasta hacerlas sangrar. No, no… no, ninchi, no… Así una y otra vez y otra vez más hasta desahogar toda la esperma contenida. Cuando hubo finalizado se vistió y salió a la calle, no sin antes orinar en el portal. Arriba quedaba el cadáver de la gata. También quedaba Maruja, brutalizada por una fuerza prodigiosa que jamás un hombre había utilizado con ella. Llevaba muchos años en el oficio y nunca hasta ahora, en toda su perra vida, había sentido algo parecido. Su vientre rebosante de calambres ardía de emulsiones y la cara se mostraba inflada en la luna del espejo. Era lo que sus compañeras de profesión tantas veces le habían dicho. Sin ninguna duda era lo mismo: el resultado del placer que una mujer encuentra cuando un macho supera el umbral de la humillación carnal. Con una excitante mezcla de atracción y miedo, Maruja le dio tiempo a Joselito y salió al balcón para asegurarse de que ya se había borrado y que no se le podía encontrar de nuevo.

Podía estar tranquila, pues cuando Maruja salió a la mañana, Joselito andaba ya por la Fuentecilla, enjuagando su navaja de a tercia. Sentía el hambre arañar sus tripas y un tembleque en las piernas que no era más que el resultado de la actividad mañanera. Compuso su figura y apuró el paso hacia la casa, haciendo memoria de lo que quedaba en la despensa. Pero cuál fue su sorpresa cuando, llegando al matadero, se encontró con mucho revuelo de guardias. Afinó la vista y se dio cuenta de que el trajín venía de su misma casa. Entonces aceleró el paso y fue al llegar a la puerta cuando se encontró con un guardia que le negaba el paso.

—Qué ocurre, si es que pue saberse.

—Aquí las preguntas las hago yo —contestó el guardia a la que se rascaba el bigote.

Fue la Emilia, una de las vecinas, la que salió en su ayuda y testificó que era verdad lo que Joselito Merlo decía y que esa era su casa.

—Aquí lleva viviendo desde que se casó.

—Entonces acompáñeme.

Y Joselito Merlo, acompañado del guardia, entró hasta el dormitorio donde pudo ver el horror al desnudo. Sobre el piso estaba su mujer, en un charco de sangre negra, apuñalada y con las cuencas de los ojos vacías. Tenía la lengua fuera y alrededor de su cuello el trozo de una sábana. Según apuntó la Emilia, había sentido los chillidos.

—Igualito que cuando ahorcan a un gato. Joselito Merlo no dijo nada; en un surco de su cabeza todavía cantaba Chacón.

Mardita sea mi suerte
que mi novia ma pillao
en la cama con la muerte.

Rubia de rabia

Para Alfonso, el cerillero,
desde el otro lado del infierno

Los usos y costumbres genitales del Madrid de hace cien años no se distinguían mucho de los de hoy en día. En lo tocante al desahogo de los varones, lo que primaba era ejercitar el pulso seguido del restregón tranviario. Esto último resultaba labor harto compleja pues la dama de principios del siglo XX, entre el paño de la falda y la costura de las bragas, anteponía un sinfín de ropa íntima. Llegada la hora del parcheo el varón lo tenía difícil. Según cronistas de entonces, había que estar dotado de cierto empuje para sortear enaguas, refajo y otras entretelas. Sin embargo, ahí no acababa todo.

En el supuesto de que el varón se saliese con la suya y obtuviera el triunfo, siempre corría el riesgo del bofetón y el insulto. En esto también hemos cambiado poco. Lo del restregón en los transportes públicos acompañado del bofetón y el insulto sigue siendo costumbre patria, sobre todo a primera hora de la mañana; hora que algún cachondo mental tuvo la certeza de bautizar como hora punta. Pues bien, la historia que aquí nos ocupa ocurrió en el Madrid de entonces, a hora punta y en tranvía. Se trataba de uno de aquellos cacharros de la firma Schuckert que incorporaba tres sistemas de frenado, o sea, mecánico, manual y de urgencia por contramarcha, que era el mejor para un apuro además de ser el más utilizado. Parecía como si las ruedas fuesen a salirse de la caja, sobre todo en las paradas que el Cangrejo pillaba en cuesta. Se los llamaba así debido al color con que los habían pintado; de un rojo que cantaba de lejos.

Estamos en la línea que une la Carrera de San Jerónimo con el Puente de Segovia. Es primera hora de la mañana y la gente coge el tranvía para ir al trabajo, aunque también hay quien no tiene trabajo y coge el tranvía para ir a buscarlo. Es preciso recordar que no existe trabajo más duro en el mundo que el de ponerse a buscar trabajo. Y eso sigue siendo igual cien años después, como si desde arriba hubiesen atorado de mierda la lucha obrera, convirtiendo el camino de la dignidad del trabajador en un fangal de excremento y aguas sucias. Y así, ayer igual a hoy, mezclado con el joven sin empleo viaja el peón de albañil y, junto a ellos, el representante de firma que, por ahorro, prefiere coger el tranvía al coche de caballos. Cada vez que sube una mujer ya sea chacha, peluquera, modistilla, ama de cría o bordadora, el representante de firma va y se quita el canotier para saludar galante. Es entonces cuando la guía de sus bigotes vibra como tripa de violín y la sonrisa se le destapa. Por el contrario, cada vez que una alpargata roza el piqué de sus botines, el representante de firma mira esquinao y emite un bufido. Pero esta vez la agresión no ha sido producida por una alpargata proletaria, qué va, esta vez viene de los zapatos de charol que gasta un señoritingo. Llevan el cordón suelto y andan pidiendo un buen lustre.

El que así va calzado tiene toda la pinta de irse a dormir la mona. Anda con el trasnoche a cuestas y el maldito sol de la mañana le hiere los ojos. Aun así, aprovechando un despiste del revisor, se ha colado en el Cangrejo sin pagar. Chúpate esa. Como si el señoritingo no supiera que dos cabezas más atrás va uno del rondín del inspector Ceballos, un tal Morales que le ha visto las mañas. Sin embargo, Morales anda ocupado en asuntos de más incumbencia. Ha recibido órdenes estrictas de seguir a una mujer que viaja en ese mismo tranvía. Destaca por su estatura y por más cosas, pero sobre todo lo demás, la mujer destaca por el color rubio de sus cabellos. De un rubio que canta de lejos.

Morales, del rondín de Ceballos, se echa mano al bolsillo del pantalón. Lleva algo más de un mes marcándola de cerca. «Que no sepa que la vamos siguiendo», le había ordenado el mismo Ceballos en persona.

—Sí, inspector —contestó Morales, manteniendo la posición marcial que dice el reglamento. Ceballos, además de su superior, era maniático con lo de la puñetera jerarquía. Morales estaba al corriente—. Sí, inspector.

Son vísperas de boda y Madrid anda revuelto. Por un lado, el pueblo engalana sus balcones y en las calles no se habla de otra cosa que de la belleza de la nueva reina. Por otro lado, se espera la respuesta anarquista hacia lo que los libertarios consideran una ofensa. ¡El rey a la baraja!, le gritaban por las calles a Alfonso XIII cuando todavía era un niño y salía a pasear Madrid en coche de caballos. ¡El rey a la baraja! Pero el rey de entonces era un niño que no se arrugaba. Qué va. Y menos ante su tía, aquella a la que llamaban la Chata debido a su nariz. Una nariz que, valga la comparación, tenía más de perro que de nariz borbónica. Cada vez que la Chata oía el grito libertario, se revolvía en su asiento, apartaba los visillos y mandaba al cochero ir más despacio. Era entonces cuando apretaba la nariz a la ventanilla y empezaba a ladrar, cada vez más fuerte, así hasta ensordecer el grito libertario. Con estas cosas, la Chata daba cuenta del sentimiento de protección enfermizo que sentía por su sobrino. Siempre que al rey chico se le antojaba salir, ella le acompañaba en sus paseos. No era para menos. Además de ser hijo único era hijo póstumo de su hermano Alfonso XII, o mejor de su hermanastro, pues ella se sabe Araneja, hija de don José Ruiz de Arana y parece ser que Alfonso era hijo del dentista americano. Pero mejor no hurgar en asuntos de familia. Cada vez que desde lo lejos gritaban hijaeputa y el insulto libertario hería sus orejas, la Chata aplastaba la nariz a la ventanilla. Y se ponía a ladrar:

—¡La Isabelona nunca fue puta, no tuvo necesidad de cobrar, al contrario que vuestras madres, cabrones! Al rey chico los ladridos y bravatas de su tía le llenaban de arrojo y le ponían gamberro. Otra de las veces que salieron a pasear, y los libertarios apedrearon su coche e hirieron al cochero, el rey chico se bajó las prendas interiores hasta la rodilla y enseñó trasero y partes colgantes a los agresores. Raro era el día en que esas y otras cosas no pasaban en la corte. Según su biógrafo, aquel cronista que firmaba como el Caballero Audaz, Alfonso XIII fue un niño debilísimo. Inspiraba tan pocas esperanzas que el propio Sagasta, por entonces presidente del Consejo de Ministros, se asombró cuando lo vio recién nacido y después de sopesarlo dijo aquello de ya tenemos la menor cantidad posible de rey. Sin embargo, gracias al esfuerzo de la Chata, aquel niño tuvo crianza de ganso y a Dios gracias España tuvo la mayor cantidad posible de rey que un país puede desear. Visto con perspectiva, la Chata lo hizo por egoísmo, por conservar acomodo más que por cariño. Hay que recordar que Alfonso XIII era hijo único además de póstumo y que, sin hermanos varones, sin piezas de recambio en el juego monárquico, entonces apaga y veámonos, como dice el dicho. Y la Chata otra cosa no, pero de dichos se sabía un puñao.

—Unos cabrones, Alfonsito, unos cabrones. Ahora Alfonsito había crecido y con él había crecido el número de cabrones que querían matarlo. Desde el mismo momento en que se decide hacer público el enlace se ponen en marcha los dispositivos policiales. Será asunto prioritario salvaguardar el presente de la Restauración borbónica y con ello salvaguardar el futuro de un pueblo que engalana sus balcones para dar la bienvenida a su nueva reina. Dos meses largos en que los rondines peinan Madrid de sol a sol sin más relevo que el de sus propias fuerzas. Porterías, Guardia Civil y serenos se mantienen alerta. Los guardianes de la Restauración velan por el presente monárquico. Estamos en Madrid a finales de mayo de 1906 y son vísperas de boda.

—Ande con ojo, Morales, que en la noche de Madrí, ya se sabe, to los gatos son negros —le había advertido Ceballos tras la mesa del despacho—. Ande con ojo, Morales. A la que le ofrecía un veguero.

—No, gracias, señor, no fumo.

Y sin mediar palabra, Ceballos mordisqueó el puro y lo prendió. Fue soltar el humo y Morales sentir la flema de sangre que le viene hasta la boca.

—Cuídese esa tos.

No hacía un año que el rey había sufrido el primer intento de asesinato. Regicidio frustrado, como lo llamaron esos cabrones. Fue en París a la salida del Teatro de la Ópera y aún andaba reciente el asunto. Aunque lo intentara disimular, el rey andaba inquieto. Cuentan sus allegados que, en los días previos al enlace, daba paseos a lo largo y ancho de su alcoba, embutido en un batín y descalzo. Y que parecía como ido. Solo de vez en vez, cuando su mirada se encontraba con la del espejo, recomponía la figura. Por lo demás, el rey fumaba como un carretero.

—Esos cabrones —y escupía el humo al suelo.

De su bolsillo saca un pañuelo y lo abre y se lo lleva hasta la boca. Y tose. En el centro del paño destaca la flor de sangre. Si pudiera mandar el trabajo a hacer puñetas lo haría. Vaya que lo haría, piensa Morales dentro del Cangrejo. Pero entre unas cosas y otras ahora está su madre de por medio y necesita asistencia. Se le había quedado tarumba tras recibir la noticia de lo de Jacinto, el mayor, muerto en Cuba. Al principio todo habían sido buenas palabras. Pero eso fue solo al principio. Lo único que dieron fue una medalla póstuma o, mejor dicho, lo único que dieron fue trabajo, pues con la puñetera medalla Morales tuvo que ir y acercarse hasta el Rastro. Al final por poco no la regala. Que si no es de oro, que de estas ya nos han entrao muchas. Que si patatín, que si patatán y que veía que no la colocaba. Jacinto Morales, caído en la defensa de las últimas colonias españolas. Vaya mierda. Y otra vez más le viene la tos de sangre hasta la boca.

El inspector Ceballos sabía que Morales era un cobarde, uno de tantos que luchaban por los demás y nada por lo propio. Como esos cabrones de los anarquistas que se dedican a colocar bombas y a esconderse para ver cómo estallan. Lo que pasaba es que Morales había caído en el bando de los del orden y eso a Ceballos le venía chachipén. Dotado de una memoria prodigiosa y piernas resistentes, ejercitadas de tanto correr tras los carteristas, Morales era hombre de posibilidades. A eso había que añadir su buena letra, algo difícil entre las gentes del orden público, en su mayoría analfabetas. Por todo eso Ceballos le hizo llamar hasta su despacho.

—Una mujer sola siempre es sospechosa. Sobre todo si está jamona, no se olvide.

Ceballos, que aspiraba a la carrera política, cultivaba con sus subordinados ciertas confianzas populistas.

—Ah, antes de que se vaya, decirle también que lo de su hermano va p'alante.

Lo soltó del tirón. Era como si una cosa, informar acerca de los movimientos de la «jamona» con la que Ceballos andaba de líos, era como si una cosa tuviera que ver con los servicios que su hermano, que en paz descanse, había prestado a la patria en la defensa de las últimas colonias. Que no pagaran las últimas soldadas y que luego dieran el dinero para hacer barriadas para los obreros como la que iban a hacer por Cuatro Caminos y que le iban a poner el nombre de la nueva reina, eso era algo que a Morales le envenenaba la sangre. Y luego todos esos establecimientos benéfico-asistenciales que les ponían a los cabrones, para que se sigan quejando. Mano dura, pensaba Morales. Y era con esos pensamientos cuando la tos le volvía a Morales.

El pulmón empezó a picársele el invierno pasado. Por lo mismo Morales tenía prisa. Si a él le dejasen acabaría con el asunto en un pispás. Iría a los focos de los cabrones. Al primero que pondría en el paredón sería a Nakens, aquel periodista embajador de los libertarios. Fue el mismo que tuvo roce con Angiolillo, el asesino de Cánovas. Y allí seguía, tan pancho, dirigiendo un periodicucho en cuyas páginas no había más que blasfemias contra la Iglesia, la familia y el ejército. Qué poca vergüenza. Si a Morales le dejasen acabaría con todo en un día. Pero qué digo en un día, en medio día. Por un lado, Morales, del rondín de Ceballos, tiene prisa, y por el otro siente que está perdiendo el tiempo detrás de un pericón de aúpa. Aquella mujer de aspecto extranjero había sido amante de Lerroux y ahora se entendía con un viejo espadón y mil leches de las revoluciones: el republicano Nicolás Estévanez. Todo un personaje, todo un hijoeputa.

La noche antes de dejar Madrid, el viejo espadón la pasó junto a ella en la casa que él tenía por Getafe. A la mañana siguiente vino un coche de caballos a recogerlos temprano. Era tan temprano que a Morales le pilló desprevenido y, si no llega a ser que pasaba por allí el carro del lechero y le enseña las credenciales y le dice siga a ese coche, si no llega a ser por esto, Morales no hubiese podido presentar su informe a Ceballos y se lo hubiese tenido que inventar. Como el otro día en que ella salió apurada de una casa situada en la calle Alcalá. Iba tocada con una pamela y cogió el único coche libre del momento. Entonces Morales corrió tras ella, cada vez más lejos, hasta que la perdió en una nube de polvo un poco más allá del embarcadero de Atocha. Luego la localizó, a la noche, en una venta flamenca, rodeada de palmas, jaleo y gente cruda. Andaba desmelenada y en cueros, subida en una de las mesas. Jugaba a cubrir y descubrir sus partes íntimas con la pamela. Qué poca vergüenza.

Imaginó los celos de Ceballos al leer el informe. Aquella mujer que a Morales le había tocado marcar en suerte era hembra de curvas, parábolas y salto de cama. Nunca en su vida había catado Morales una así, ni por asomo. Cuando a Morales le venían las urgencias hacía lo más apropiado en estos casos, o sea, ejercitaba el pulso. Pero cuando las urgencias eran ya perentorias, entonces aprovechaba y visitaba una casa que quedaba por el centro, encima justo de la funeraria. Lo hacía en calidad de funcionario público, o sea, gratis. Pero ni punto de comparación. Y volvía a mirarla, a desnudar con los ojos un cuerpo que parecía moldeado en cera caliente. Imaginaba la carne dispuesta para el azote; los tirones de pelo rubio que podía resistir tan esbelto cuello. Y es ahí, en ese momento, cuando Morales vuelve a sentir el ataque de tos y se echa la mano al bolsillo. En esto que el tranvía echa el freno y las rodillas de sus ocupantes se desplazan y la rubia encabrita las nalgas. Y con el freno, la tos y las rodillas, la rubia siente al hombre por detrás. Morales no pierde ripio. Ahora el señoritingo se restriega contra las faldas y pone una mueca de beodo ante el triunfo. Sin embargo, la misma que antes ha encabritado las nalgas ahora le da un bofetón. Suele pasar, piensa Morales, mientras tose en una esquina del pañuelo, allí donde van bordadas sus iniciales. Suele pasar.

Y lo que pasó fue que el bofetón tuvo intención de respuesta. Pero al final se quedó solo en intención. Si no llega a ser por el representante de firma que redujo al maleducado en el momento justo en que se disponía a alzar la mano contra la dama, si no llega a ser por él, la dama hubiera acabado derretida. El representante de firma le agarró por las solapas y le zarandeó como es debido. Los albañiles del fondo mostraron la pasividad del espectador morboso y la costurera hizo como que no se había dado cuenta. Solo la chacha salió en defensa de la dama y fue a increpar al señoritingo, ahora en el suelo. La verbena matutina daba comienzo. Qué sería Madrid sin ese ruido popular. Hubo un momento en que el revisor se acercó a poner orden, a hacer el caldo gordo al representante de firma.

—¿Hay aquí algún guardia? —pregunta el representante de firma, a la que retuerce las muñecas del señoritingo—. Algún guardia, alguien de la policía o de algún rondín.

Fue decir esto el representante de firma y clavar los ojos sobre Morales. Unos ojos de batracio que a Morales le suenan y no sabe de qué.

—¿Hay aquí alguien del orden?

Dónde, dónde puñetas había visto aquellos ojos que ahora le retaban a salir de la clandestinidad, se preguntó Morales a la que arrugaba su pañuelo y lo guardaba en el bolsillo. Dónde. Y raudo pensó Morales que al final podía ocurrir algo peor y que iban a venir los guardias y que se los iban a llevar a todos a declarar, incluido él. Y que entonces Ceballos le cortaría la cabeza. Y saltó.

—Manuel Morales, servidor, del rondín del inspector Ceballos. Delegación de centro.

Ni que decir tiene que el representante de firma era hombre corpulento y, sin mediar esfuerzo alguno agarró al señoritingo por el cuello de la chaqueta y lo levantó en vilo. Y en vilo es como se lo entregó a Morales.

—Haga el favor y meta preso a este indecente.

Morales sigue aturdido. Los ojos del representante de firma le suenan y ahora mismo no sabe de qué. Sigue haciendo memoria. Dónde, dónde puñetas ha visto Morales antes esos mismos ojos. Dónde.

—Don Agustín Espinosa, representante de botones. Y muy elegantón se saca el canotier y tiende su brazo a la dama.

Pero la dama hace como si don Agustín Espinosa no existiera y sigue maldiciendo con los puños prietos. Ahora le toca a Morales, que se defiende como marca el reglamento, manos a las orejas y codos adelante. Y a todo esto, Agustín Espinosa, representante de firma, que no se da por vencido y corteja a la dama con maneras de caballero.

—Si quiere le puedo llevar a mi casa, vivo esquina con Mayor, en un balcón que da donde los Consejos. Para la rubia se acabaron las verbenas y rechaza el ofrecimiento. Aprovechando que el tranvía ha puesto freno salta toda apurada. Y echa a correr. A su paso los albañiles sueltan requiebros con deje castizo. Y al del rondín de Ceballos le entran los siete males y sale tras ella, pero el representante de firma le obstaculiza el paso.

—No se marche, cumpla con su deber. Además del espectáculo, este hombre no ha pagado el tranvía. Estos ojitos lo han visto.

Y don Agustín Espinosa, el representante de firma, se lleva el dedo índice al ojo, dejando a la vista el cerco de buena salud que rebosa su óptica. Dónde los había visto antes, se pregunta Morales. Dónde.

—Eso es incumbencia del revisor —suelta Morales. Y se enredan en una discusión acerca de competencias, jerarquías y uniformes. Una disputa larga y absurda. Cuando Morales se quiere dar cuenta, ha perdido a la dama. Y le viene otra vez la tos. Y con la tos le viene hasta la cabeza el consejo de Ceballos: «Sea un poco más egoísta, Morales. El egoísmo es una forma de valentía». Es entonces cuando se traga la flema de sangre y agarra por la oreja al señoritingo y lo saca a empujones del tranvía.

—A la Modelo, yo a ti te llevo a la Modelo, por cabrón.

Apuntar que el señoritingo acabó a la sombra. Y apuntar también que durante su encierro ejercitó el pulso como un mono en cautiverio. Y es que, aunque los tiempos cambien, no cambiarán nunca las costumbres por muy feas que parezcan. En todo caso, lo único que cambiarán serán las mañas. Ahora hay que quitarse el reloj antes de ejercitar el pulso. Hace cien años los relojes eran de bolsillo.

El vestido de la Chata

Para Menchu Solís

El día 31 de mayo de 1906, el pueblo de Madrid se engalanó de lo lindo. No era para menos: Alfonso XIII, rey de España por la gracia de Dios, se nos casaba. Al final la elegida había sido una extranjera, rubia y esponjosa de carnes como un bizcocho recién horneado. Aunque no contase con la gracia de Dios, Ena de Battenberg contaba con las gracias de su cuerpo. Monárquicos, republicanos y carlistas, en ese sentido, estaban de acuerdo.

El desposorio tuvo lugar en la iglesia de los Jerónimos. Allí se dio cita lo más granado de las dinastías de Europa, con sus rancios abolengos y todo el medallerío en las pecheras. El exceso de arcos voltaicos cegaba a los presentes, a los pasados y a los que estaban por llegar, o sea a los futuros esposos. En lo que respecta al novio, la pompa carnal de su familia, por parte de abuela, calentaba los asientos desde muy temprano. La tía Eulalia lucía un traje blanco y un manto carmesí que hacía peligrar la reputación de la monarquía. Era por todos sabido que su padre fue Miguel Tenorio de Castilla, secretario particular de su madre, la reina Isabel, y tascador de bajos al servicio de la corona. Al citado varón no solo se le adjudicaba la paternidad de la tía Eulalia sino la de las infantas Paz y Pilar, esta última en el pudridero. La infanta Paz envolvía su humanidad en un vestido color manzana y un manto a juego que, al ir a sentarse, se enganchó en uno de los sillones. Tenía algo más de cuarenta años y desde joven siempre había aparentado ser lo que era ahora, una mujer fondona y con la fatiga prendida al pecho. Cuanto más descansaba más cansada se sentía. A su lado seguía la tía Eulalia, que no le hacía ni caso, entretenida con lo que ella llamaba física recreativa y que era materia en la que destacaba por encima de sus hermanas. En eso había salido a la madre.

En el vertedero de su infancia, escalando montañas de basura y carne infecta de catolicidad, tal vez allí se pueda encontrar la raíz de su comportamiento en la iglesia, apoyando las palmas de la mano en los muslos abiertos, algo inclinada pero sin perder el porte del cuello, tampoco el ojo, siempre cerca de los realces que lucían los moros de la embajada marroquí. Fueron los primeros en llegar tocados con turbantes y pisando babuchas relucientes de sebo, todos ellos envueltos en la gasa transparente de los jaiques y el aroma de la grifa y el pachulí a discreción. La tía Eulalia emitió un suspiro, antojo de noches estrelladas y serpientes lúbricas enroscadas alrededor de sus ingles. Luego llegaron los duques de Génova, y detrás los príncipes de Gales ocupando sus puestos con la boca riente. Y más acá se puso el archiduque Francisco Fernando de Austria, con sus bigotones de brocha. No se sacó los guantes blancos, evitando en todo momento revelar la línea del destino que llevaba marcada en la palma de su mano. Y más allá andaba el príncipe de Portugal saludándose con el gran duque de Vladimiro, y detrás el príncipe de Grecia, y más al fondo, orondo y grasiento, el médico que trataba las almorranas del maharajá de Kapurthala. Y a todo esto la Chata yendo y viniendo por la iglesia con el trajín, colocando y recolocando príncipes despistados, gobernando la situación, sobrada de carnes y con mucho aire de abanico, poniendo en cada golpe una vergüenza más que arrojar a la organización del espectáculo. O sea, al gobierno. Y como parecía que faltaba un cojín para la hija de la de Coburgo, la Chata se acercó hasta donde estaban los ministros, todos ellos muy peripuestos con trajes cortados en París, oh-la-la, y cuyo gasto había originado la última crisis ministerial. Y aprovechando la falta de cojines les obsequió con una rima que ahora no viene al caso, pero que provocó la subida de colores de las orejas ministeriales, en contraste con el vestido amarillo de la Chata, a punto de reventar y tornasol de una patria que, por aquel entonces, ya anunciaba su descomposición. Sin embargo, en un principio no tenía pensado ir con el vestido amarillo. Qué va, el amarillo ya lo había usado en los Sanisidros del año anterior, para ir a los toros.

Aunque hayan pasado cien años desde entonces, la historia del vestido de la Chata todavía anda de boca en boca por las tabernas de Madrid. Gracias a las fotografías de la época, sabemos que la Chata era mujer regordeta y de trémula papada. Bien mirada, la carnosidad del pescuezo era resultado de la prolongación perruna de sus mejillas, a juego con un trasero que, con el paso de los años, iría adquiriendo dimensiones de mesa camilla. Esto último era todo un problema a la hora de vestir y que solucionaba con ayuda de su modista, la prestigiosa Piluca Solís, mujer atenta a los encargos de Palacio y que no daba abasto en su taller de corte y confección situado en el barrio de Pozas, muy cerca de donde la Chata residía. Desde que un buen día se la recomendara su íntima Lolita Balanzat, marquesa de Nájera, no había temporada que la Chata no mandase hacer su media docena de trajes. Se encaprichaba con un modelo que había visto lucir en París a alguna dama foronda y, de seguido, la Chata encargaba los patrones y hacía llamar a su modista, Piluca Solís, que iba rauda a tomar medidas.

Era Piluca Solís mujer de manos hábiles con la tijera así como de labios pálidos y fruncidos y donde nunca faltaba alfiler. Experta en paños y vestiduras de gala, igual confeccionaba ropilla de bebé para Palacio que blusones o capotillos de dos faldas. Sin embargo, lo mejor que tenía era el precio, pues la tal Piluca Solís se lo hacía gratis a la Chata. A cambio obtenía el llamado «prestigio», reputación para su taller que cada vez tenía más clientela. La Chata, que era mujer muy viva para los instintos, había sospechado que los gustos de Piluca Solís estaban más cerca del pescado que de la carne. Igual que le ocurría a ella. Y por lo mismo aprovechaba el rato en que Piluca se pasaba a probarla para dar rienda suelta a todo el apetito venéreo que sus labios contenían.

Cuando a primeros de septiembre de 1905, entre prueba y prueba, Piluca Solís se lo dijo, la Chata supuso que la modista se había quedado en estado más por interés que por gusto. El que fertilizó su vientre era hombre cercano a Palacio.

—No te preocupes, no le faltará de nada.

Esto último lo dijo con la costumbre de la que se sabe entendida en linaje bastardo. Sin ir más lejos, la Chata era hija del Pollo Arana, soldadito que se movía por Palacio con la petulancia seminal de un gallo. Su primer encuentro con la Isabelona tuvo lugar cuando la reina se quedó atrapada en una de las barricadas del Madrid del 48. Entonces el Pollo Arana, sin pizca alguna de temor ante el fuego cruzado, llegó atrevido hasta la carroza y rescató a la reina, que disfrutó tanto con la emoción vivida que soñó con el momento en que la ocasión se le repitiera para sentir lo mismo. Tres meses después, más arriba, más abajo, sus sueños se cumplen. Estalla la revuelta en el centro de la ciudad y ella se entera que su Pollo Arana se está batiendo en la Puerta del

Sol como un bravo. Se le humedecen los labios. La reina quiere saber qué está pasando y se lo encarga a Narváez, que en esos momentos está en Palacio, presidiendo el banquete de ministros. Y también le encarga que las noticias lleguen cuanto antes, a caballo montado por un jinete de porte macho al que se conoce como el Pollo Arana. Y así el gallo de corrales ajenos vuelve otra vez a desafiar el fuego cruzado, consiguiendo llegar a Palacio. Y mientras la hoguera de la revolución enciende Madrid, el Pollo Arana, soldadito con los genitales de plomo, aviva las brasas de la reina. Narváez escucha los gemidos tras la puerta, está contento, ha conseguido contrarrestar la influencia del chulo de O'Donell, alejarle de la cama de la reina y de los milagros de la corte.

—Y si es niña, tampoco.

Después de vomitar un par de veces más, Piluca Solís volvió a meter su nariz entre los cuartos traseros de la mesa camilla. Las papilas gustativas no resistían el sabor de la mucosa vaginal y Piluca rompió en un vómito en que saltaron los alfileres. Y fue en una de esas, pasado el invierno, con el anuncio de boda de su sobrino, cuando la Chata mandó llamar con urgencia a su modista, pues quería lucir un traje color azul purísima en día tan señalado. Y Piluca se volvió a presentar en la calle Quintana a hacer la primera prueba, observando que los cuartos traseros de la Chata crecían a la misma velocidad que a ella misma le iba creciendo su vientre inflado de bastardía.

—Buena avispa te ha picado, granuja. —Y la Chata cacheteaba su trasero—. Buena avispa te ha picado. —Y volvía otra vez a la carga. Plash.

Ya llegado el mes de mayo y con el hilvanado de la última prueba, Piluca empezó a sentir las patadas del feto que amenazaba con salir. Mientras tanto, en el taller de Piluca no se paraba, dale que dale al pedal de la máquina. Tenían muchos encargos, pero lo primero de todo era confeccionar el colosal vestido que la Chata iba a lucir en la boda de su sobrino. Y fue dos días antes de la boda cuando en la residencia se presentó una de las empleadas con la mala noticia. Piluca se había puesto de parto. Con todo lujo de detalles, la empleada contó que Piluca Solís había roto aguas a eso de la medianoche y que, de inmediato, llamaron al doctor, que nada pudo hacer por salvar la vida del niño, que venía muerto.

—Vaya por Dio. —La Chata se santiguó varias veces seguidas. —Vaya por Dios, vaya por Dios.

Según contó la empleada, la Chata no tenía por qué preocuparse, pues el vestido estaba ya casi terminado y aunque faltaban las últimas puntadas, estas las quería dar la propia Piluca en persona. Y que contase con el traje a primera hora del día de la boda, para lo cual mandarían un correo. Después de las genuflexiones, la encargada de llevar la noticia se despidió y la Chata se encerró en su gabinete. Tenía asuntos pendientes que despachar, todos ellos relacionados con la boda. Y se puso a ello. Y llegó el día de la boda y con las primeras luces apareció un correo con una caja envuelta en papel de seda y atada con lazo rojo. La Chata le dio propina, que el mozo no quiso coger y, una vez se hubo guardado la propina y el mozo borrado, la Chata agarró la caja y se metió con ella en su alcoba. ¡Cómo pesaba la condenada! La puso sobre la cama y cuál fue su sorpresa cuando, al ir a abrirla, se encontró de sopetón con el feto de un niño envuelto en cuajarones de sangre. Cuentan que la Chata cerró la caja y exclamó:

—Lo que faltaba, se han confundido y han enterrado mi vestido.

Cuarto oscuro

Para Hugo Rodríguez y Pedro Lemebel

La casa quedaba por la cabecera del Rastro. Una planta interior acondicionada para rijosos menesteres y que ganó fama después de que el señor Perico[5], cronista de la Villa, contase por lo bajinis los portentos que escondía la habitación del fondo. Con el cosquilleo aún en las tripas, el cronista no resistió más. Y haciendo gala de su oficio, separó las manos sobre la mesa del Colonial[6] para que los allí reunidos se hicieran una idea del tamaño que al bueno de Perico le había tocado en suerte. Todos los ojos se abrieron de asombro y las lenguas emitieron babas. De esta manera, los secretos del cuarto oscuro fueron pasando de boca en boca y cada boca fue aumentando su tamaño un poco más. Con tal propaganda, a la dueña del citado inmueble se le subieron los humos y se plantó una peluca rubia que le daba cierto aire de muñeca de tómbola. A partir de ese momento, se dedicó a recibir clientela selecta y distinguida. Solo citas concertadas. Ah, y con una semana de antelación.

5 Así era como se conocía al popular cronista de Madrid Pedro de Répide (Madrid, 1882-1948).

6 Café situado en la calle Alcalá, al comienzo de la misma. Era café de maricas, efebos y troteras.

El cliente que ahora esperaba venía recomendado por Perico, cronista de la Villa. De no ser por esto, una noche como la de hoy, nones, se dijo la dueña. Sin embargo, el fulano estaba dispuesto a pagar doble servicio por ser día señalado. Y además Perico, cronista de la Villa, convenció a la dueña de que se largaba enseguida, que era padre de familia respetable y que cenaba rodeado de los suyos, como solían hacer las personas decentes en día tan propio. Amén. Y poco más contó Perico del fulano, pues de él poco más sabía.

Parecía retrasarse. La dueña miró el reloj, las seis y media pasadas, se retocó el pelucón, pintarrajeó sus labios y, como no tenía nada mejor que hacer, fue hasta la habitación del fondo a comprobar el estado del joven que tanta fama y prestigio venía facilitando al negocio. El citado aguardaba tumbado a lo ancho de la cama. Era rubio, del mismo color que el cereal maduro, y tenía el aspecto de un galán de alta comedia, con las piernas enfundadas en unos calzones cortos y los calcetines caídos a la altura de los tobillos, pongamos que a la deriva. Con los ojos entreabiertos, flotaba en el humo dulce que sus labios deshacían. A la dueña no le gustaba que se fumase en la cama, no fueran a quemarle las sábanas. Y en el momento justo de ir a llamarle la atención, sonó el timbre. Y con los labios pintarrajeados y envuelta en su bata estampada, salió a la puerta.

—Adelante.

El caballero recomendado por Perico, cronista de la Villa, lucía unos bigotes engominados y retorcidos hacia arriba, lo más parecido a cuernos de cabra montesa. Gastaba chistera, labios viscosos y capa de buen paño.

—Con su permiso.

Tenía voz aflautada y cierto deje aristocrático. Un cliente distinguido, tal y como le había advertido Perico, cronista de la Villa. Lucía la palidez del que tiene piedras en la vejiga, además de una leve cojera, culpa de la gota. Por lo mismo, y para mejor acomodo de los andares, se apoyaba en un bastón. Ella le calibró de seguido. Era de esos que, en los momentos de vicio íntimo, se ponen la ropa interior de la esposa y se plantan la peineta de gitana y la pestaña postiza. Y no andaba descaminada.

El citado caballero había subido por Carretas, embozado en su capa negra y confundiéndose con las sombras que le salían de los callejones. Miraba hacia atrás, por si de estas cosas le venían siguiendo, pues cualquiera sabe. No está de más apuntar que, cuando pasó por delante del cafetín del Manco[7], a punto estuvo de volverse. Sin embargo, fue un latido interno que arrancaba en su vientre y que le llegaba

7 Situado en la plaza de Cascorro, el cafetín del Manco tomaba el apodo de su dueño, hombre fornido que con un solo brazo sacaba a la calle a los que armaban gresca en su local. El cafetín del Manco era famoso por ser lugar donde se daba cita el lumpen de entonces. Servían café de recuelo y las cucharillas estaban atadas a las mesas para que nadie pudiera robarlas.

hasta las sienes, lo que le hizo seguir.

—Permítame la capa y el sombrero.

El caballero le tendió las prendas y luego sacó su cartera. La dueña miraba los billetes con ojos de ratoncillo vicioso. El precio del silencio.

—Aguarde aquí un momento —apuntó ella, señalándole el diván, en una esquina del recibidor, junto al belén navideño.

El caballero sentía el hormigueo recorrer su espinazo, los latidos en las sienes cada vez más acusados, el vientre inquieto por la necesidad carnal. Cada segundo de espera venía cargado de días y remordimientos. Sin embargo, una vez allí no podía volverse atrás. Consultó el reloj. Dentro de dos horas estaría en su casa, pensó, junto con su mujer y sus dos hijos, celebrando la Nochebuena, como cada año.

—Acompáñeme.

Al final del pasillo en penumbra, la pepona señaló una puerta. El caballero le dio las gracias con un hilo de voz salivoso y venéreo. Abrió el cuarto y, en la negrura, reconoció una respiración. Luego el cuerpo desnudo, la piel sedosa del joven y el perfume exótico del tabaco oriental. El caballero dejó caer los pantalones. Sintió la mano del joven coger la suya y se dejó guiar en la oscuridad del cuarto. Las sienes le iban a estallar de un momento a otro. Apreció el bocado en la nuca, la humedad de la lengua recorrer su espalda de arriba abajo, suavizándole la vergüenza igual a una llaga que se abre a placer. Al punto llegó la embestida, el ataque que le ahogó en un llanto gustoso y el aliento cargado de perfume oriental que castigó su cuello. Mordió la almohada y relajó el vientre. Sintió la sangre rizarse. Cuando los latidos se apagaron, tanteó sus ropas. Ya en el pasillo se adecentó la camisa y se abotonó la bragueta. Su cara había recobrado el aspecto agradable que tienen las perdices a la vinagreta recién hechas. La pepona le tendió el sombrero, la capa y el bastón.

—¿Quiere asearse?

El caballero dijo que no y se arregló el bigote con los dedos, retorciéndoselo hacia arriba, como si aquí no hubiese pasado nada. La dueña le acompañó hasta la puerta y embozado en su capa salió a la calle. Cogió un coche de punto y, en un periquete, llegó hasta su casa, donde le esperaban con la mesa puesta. Ya dijimos que era nochebuena, fecha señalada para él, pues era la única vez en todo el año que se reunía con su familia al completo. Su esposa, una mujer a la que la ropa interior se le había quedado amarilla de tristeza, y sus dos hijos. Uno de ellos, el mayor, acababa de llegar de Alemania, donde cursaba estudios de Filosofía. Se había dejado un bigote que era lo más parecido a un camino de hormigas. El otro, el más pequeño, era poeta y apenas le veía. Paraba poco por casa.

—Parece que tarda —dijo la esposa mirando la hora.

—Pues sabe que a mí me gusta la puntualidad. Si de aquí a cinco minutos no viene empezaremos sin él —apuntó el caballero, solemne y patriarcal.

El hijo mayor no dijo nada. Pasando los cinco minutos, recibió la orden de bendecir la mesa.

—A ver si en Alemania no has perdido las buenas costumbres de la liturgia, hijo.

—Sí, padre.

Y cuando empezó con la letanía, «Señor, bendice estos alimentos que vamos a tomar», llamaron al timbre. Fue Rufina, la doncella.

—Ya va, ya va.

El hijo pequeño apareció con aire festero. Nada más entrar al salón se fundió en un abrazo con su hermano mayor, recién llegado de Alemania. Besó a madre y cuando se acercó a padre, el caballero sintió de nuevo el perfume oriental, el tacto de los labios en su mejilla, la sangre rizada del que ha descubierto el secreto del cuarto oscuro.

Polvo en los labios

1

El cadáver del trompetista fue encontrado a la noche, en una calle que aún conserva el olor definitivo de la muerte. Vestía camisa de manga corta, pantalón de rayas, sandalias y calcetines blancos. Visto así, no se había esmerado mucho con el atuendo de su última aparición pública. Para qué.

Según el expediente, yacía en posición fetal, lo que demuestra que no murió de inmediato y que aún tuvo tiempo para acurrucarse en la agonía. No me fue difícil imaginar el resto, el cuerpo envuelto en un encaje de sangre, bajo la luna llena, dando a entender que la muerte imita a la naturaleza siempre que puede.

Junto al cadáver, además de unas gafas, la policía halló una varilla de acero, utensilio del que se sirvió para deducir que el cuerpo había caído desde una de las ventanas del Prins Hendrick; un hotel de apaño situado en el límite del Barrio Rojo y último recurso para acabar con la cabeza rota sobre el asfalto de Ámsterdam. El informe del forense reveló que tenía el cráneo y un pómulo aplastado. También facilitaba otros datos, pero, con todo, el informe carecía de esos detalles que facilitan las cosas a la hora de resolver una muerte.

Por contra, en algo más de treinta páginas se incluían datos sin relevancia: un inventario completo de lo que había en la habitación del hotel, un plano de la misma y distintas declaraciones del personal, entre las que cabe destacar la de la recepcionista que lamentó no haber reconocido a una celebridad. «Dios mío, vaya viejo —fue lo que pensó la recepcionista cuando lo vio aparecer en el vestíbulo del hotel—. Llevaba el estuche de una trompeta como único equipaje y fue ahorrativo en palabras. Pagó. Firmó el registro. Agarró la llave. Goodbye. Puro trámite».

A pesar de los años transcurridos, el eco de su trompeta tiembla en el aire sucio de la última habitación que ocupó en vida. Un cuarto con paredes amarillas y mobiliario de poca factura. Encima de la mesa se hallaron dos vasos. En uno, la aguja. Sombras de cocaína y heroína en el otro. Pero lo que el informe no cuenta es que los restos de droga eran de una pureza mayor que la que el trompetista se había inyectado en Madrid, dos meses antes, y en cuya compra yo intervine.

2

Supe de su muerte por los periódicos. Las habladurías hicieron el resto. Lenguas que se iban enredando y que daban lugar a versiones de lo más chusco. La preferida de todas era que el trompetista fue asesinado en la misma habitación del hotel por un traficante al que debía dinero. Para deshacerse del cadáver lo tiró por la ventana. Aunque la habitación no presentaba señales de forcejeo, los amigos del trompetista daban por supuesto el ajuste de cuentas. Hay que hacerse cargo, sus amigos no hacían más que buscar una causa trágica para entender una tragedia. La verdad es que no existe ningún lugar tan íntimo como la habitación de un hotel para practicar la masturbación, la borrachera o el suicidio. Pero suicidarse desde un segundo piso es algo poco probable. En fin, todo eran habladurías, murmuraciones de camerino, voces de garito que me devolvían la presencia del trompetista. No hacía ni dos meses que habíamos estado juntos en un taxi que atravesaba la Gran Vía, directo a la orilla del desastre.

Recuerdo que mantuvo la cabeza gacha durante todo el camino, rascándose los tobillos con matraca, inquieto en el asiento, como si precisara algo más que la trompeta para sentirse seguro mientras la vida pasaba por la ventanilla, ajena a su rumbo. También al mío. La calle mostraba abundancia de género en putas, algodoneros y negros. Traficantes de polvo blanco y de carne, incitando por igual a la policía que al crimen.

Fue a la vuelta, una vez consumado el delito, mientras esperábamos en un semáforo, cuando se refirió a la historia que nos había contado el taxista.

—With the raincoat —dijo, soltando una carcajada de risa seca.

Me sorprendió su salida, pues yo no había prestado demasiada atención al relato del taxista e imaginé que él todavía menos, tal como iba, rascándose el mono durante el camino, sumido en la necesidad de un pinchazo. Pero, por lo visto, había pegado la oreja de lo lindo, no había perdido detalle de la historia que el taxista contó en un inglés roto y castizo, genuino de la Ribera de Curtidores. Supuso que yo también era extranjero y, señalando la marquesina del McDonald's, el taxista empezó con lo del toro bravo que una vez se escapó de la plaza y fue llegando a la Red de San Luis, cuando el toro se encontró perdido[8] . En esto que un torero —medio retirado y que apenas vestía de luces— iba paseando hacia el Retiro y, al encontrarse con el toro, se sacó la gabardina. «The raincoat». Y con «the rain- coat» a la manera de muleta, se puso a torear. Fue todo un acontecimiento, los taxistas colaboraron bloqueando la Red de San Luis con sus coches, formando así una plaza de toros en plena Gran Vía. La gente, arremolinada, lanzaba olés y vítores al valiente matador. Hasta hubo uno que se acercó al Casino

8 El torero del lance es Diego Mazquiarán, apodado Fortuna, quien toreó y mató un toro en la Gran Vía madrileña el 23 de enero de 1928. El toro se había escapado mientras era conducido a la plaza de toros y el matador iba a darse un paseo. El encuentro lo fotografió Alfonso. Para más referencias sobre el suceso, véase el libro La Gran Vía es Nueva York, de Raúl Guerra Garrido.

militar a coger un sable para que el diestro pudiese ejecutar el último lance.

El trompetista quedó asombrado por la historia del toro y yo quedé más asombrado aún de ver al trompetista tan asombrado. Un círculo de asombro que a partir de entonces se iría alimentando. A partir de aquel momento la historia del toro escapado sería nuestro vínculo. Ahora que ya han pasado los años por la Gran Vía, puedo asegurar que no fue el destino quien proyectó nuestro encuentro. Qué va. Eso solo pasa en la literatura. Tal vez el destino urdiese el encuentro del toro con aquel torero madrileño que un buen día se topó con la suerte vestido de calle. Tal vez. Pero en nuestro caso no fue el destino quien tejió nuestro encuentro. Fue el veneno.

3

Por lo visto, un hombre que prefirió guardar el anonimato encontró el cadáver en la misma acera del Prins Hendrick. Lo primero que hizo fue dirigirse al hotel. Estaba cerrado, y entonces llamó a golpes. Todo indica que la puerta se cerraba por la noche y los huéspedes requerían de llave para acceder. Por seguir con el informe, el último empleado estaba en otra parte y no oyó las llamadas del hombre que acababa de encontrar el cadáver. Quien oyó los golpes fue otro de los empleados que estaba en una habitación del piso de arriba; bajó apurado las escaleras, pero al llegar al descansillo, vio la agitada figura de un hombre que intentaba entrar. Como no le sonaba como cliente, ni se acercó al vestíbulo y volvió a lo suyo, al piso de arriba. Según declaró, lo primero que le vino a la cabeza fue que se trataba de un borracho que quería colarse en el hotel. Lo último que el empleado del hotel podía pensar era que había un cadáver tendido en la calle. Momentos después la policía recibió una llamada telefónica. Se da por supuesto que fue hecha por el mismo hombre que había encontrado el cuerpo. Los de la policía no tardaron en llegar. Envolvieron el cadáver en una sábana y al depósito. A falta de identificación fue registrado como anónimo y aunque todo parecía improvisado, el destino llevaba mucho tiempo ensayando el acto final. Cuando la policía entró en la habitación encontró la trompeta y un reloj — en el informe no ponía la hora que marcaba—, también unas monedas, algunos billetes y un sobre con mi remite donde había una foto de época. Era en blanco y negro. En ella se podía ver a un hombre frente a un toro, en mitad de la calle. El toro estaba de espaldas, por no poner otra cosa, y el hombre aparecía ataviado con sombrero, traje y corbata. Por si fuera poco, mientras el hombre sostenía el estoque en una mano, en la otra una gabardina le servía de engaño. Me reconfortó saber que la foto había llegado a su destino. La encontré por casualidad, o como se llame eso. Fue en una trapería, al poco de que el trompetista dejase Madrid. Revolviendo papeles entre cachivaches y trastos, abrí una de las cajas, apiladas a la entrada del local, bajo la jaula vacía de un pájaro. La caja estaba llena de fotos de época, algunas ajadas, otras con dedicatoria. Reparé en la foto a la primera, como si se tratase de una broma más de la vida.

Ese mismo día la mandé a Ámsterdam, urgente, al Hotel Capitol, donde el trompetista se había alojado las últimas noches. A los tres días el trompetista me llamó desde el mismo hotel, eso dijo, para darme las gracias. Yo no estaba en casa, pero me dejó el mensaje en el contestador. Fue muy escueto, mezclando en su voz silencio y desolación. Le devolví la llamada al Capitol, pero me dijeron que ya se había ido y que no había dejado ninguna dirección. Entonces no podía imaginar que tenía los días contados. Todo lo contrario, pensé que la foto del torero entrando a matar le inspiraría algún tema. Le daría vidilla.

La cultura hispana ejercía verdadera fascinación en él desde la primera vez que vino a nuestro país. Se quedó en Barcelona, tocando en el Jamboree, el club de jazz situado en la misma Plaza Real. Cuentan que estaba tan magnetizado con Antonio Gades que no salía del local de al lado, donde el bailaor actuaba por aquella época. Sentía atracción por lo hispano. Existen un par de discos suyos con aires de frontera mejicana. También en un directo con el guitarrista

Jim Hall su trompeta atraviesa la línea melódica del Concierto de Aranjuez. Ya puestos, imaginé cómo sería su composición dedicada a un toro perdido en plena Gran Vía Madrileña. Tal vez un bolero, una de esas piezas que suelen hacer los guiris cuando se aproximan a la caída melódica de nuestra música de origen, dejándola escapar, sin agarrarla mucho por la raíz, pero interpretada con la carga de profundidad que el trompetista ponía en todo y, sobre todo, en cada uno de los silencios. No hay que olvidar que el sentido del silencio era el fundamento de su música.

4

En una ocasión declaró a los periódicos que la diferencia entre ponerse un pico y esnifar era la misma que hay entre salir disparado en un cohete y montar en ascensor. Tinta siempre fresca. Titulares en papeles que no eran más que actas de defunción de un piojoso, un yonqui, un apestado con manchas de sangre en la ropa y venas sacrificadas por el exceso. Carne de mártir. Víctima de la compasión y también de su propio destino que le engancharía a la tragedia. Había mucho de religioso en su acto. No hay que olvidar que la iglesia fue la primera en señalar con piedra negra, en maldecir o bendecir a los escritores al crear un índice de libros prohibidos. La industria del espectáculo es hija de la misma puta. Luego están los papeles, los periodistas ejerciendo el santo oficio, alimentando la leyenda de un hombre roto y maltrecho que no escondía los pinchazos de sus ingles bajo los pantalones del traje. Sus ojos lo decían, su boca también. Nada más capaz que su boca para soplar melodías. Lo hacía hasta cuando cantaba. Nunca tocó la misma canción de igual manera. De la misma forma que nunca te contaba la misma verdad sobre su encuentro con Charlie Parker. Cada vez que hacía referencia a ello, lo hacía de manera diferente.

Tal vez todo lo que se comentaba sobre él era verdad, mientras el trompetista mentía, inventaba sobre la realidad, las mujeres, la muerte, la madrugada y el desayuno con mantequilla y champán. Cocaína y heroína. Speedball. Mezclaíto. Café con leche. Llámalo como quieras. Ahora lo recuerdo, en camerinos, cuando nos acabábamos de conocer. Recuerdo el maletín de la trompeta encima de la silla y él sentado en otra. Mantenía la cabeza gacha y sus manos no sabían estarse quietas. Rascaban sus pantorrillas sin tregua.

Acababan de presentarnos y pude advertir las trazas de la despedida en su gesto. Sin levantar su cuerpo, ni tampoco la cabeza, chocó la palma de mi mano con dejadez, un ademán automático por su parte, pues lo hizo igual con todo aquel que bajase a camerinos a saludarlo. No lo disimulaba. Para qué. Necesitaba ponerse. Ahí tenías a un mono que no paraba de rascarse las pantorrillas. Entonces hice lo que en ese momento había que hacer: un canuto bien cargado que pasé al trompetista junto al mechero. Se lo ajustó a la boca y lo encendió a pulmón hasta que le abrasaron las uñas. «Thanks», me dijo con los ojos entornados. «Thanks», me dijo, con una mueca de necesidad, llevándose el dedo al brazo, dando a entender que necesitaba algo más fuerte ante lo cual no me dejó responderle. Como si supiera la respuesta me hizo un aspaviento con las manos, cortó la conversación antes de que se produjera para decirme algo que no me fue difícil interpretar: «I leave with you». No era desconfianza, sino urgencia. Prisa por sentir la punzada. Un ritual que llevaba años practicando. Hacía ya tiempo que el trompetista solo existía de un pinchazo al siguiente. Si no había pinchazo, si el pinchazo tardaba en llegar, entonces era cuando el trompetista dejaba de existir.

5

Poco se habló entonces de su actuación en Madrid. Los papeles hicieron la crónica del concierto mitificando al hombre que ha visto el infierno y ha regresado para contarlo. Todos intentaron lucirse. Mira que lo tenían fácil, pero nadie escribió acerca de la caricia de los dedos sobre los pistones, la saliva que gotea por la boquilla de la trompeta o la seda a punto de romper que era su garganta musitando al micrófono. Porque sujetaba el micrófono como si fuera una trompeta y susurraba como solo susurran las putas cuando lo hacen por vicio y no por dinero. Sentado, con las piernas cruzadas, en aquella postura tan típica, como si no le quedasen fuerzas para erguirse, dispuesto a morir bajo los focos, ahí estaba el melancólico trompetista militar al que copió Montgomery Clift para una vieja cinta de éxito. De aquí a la eternidad. Su concierto madrileño fue una declaración de pocas notas, pero muy intensas, una declaración de la que ningún periodista levantó acta.

Una vez muerto, los detalles de su último concierto en Madrid solo los conocería yo. Pero eso no era suficiente para mí. Quiero decir, que eso no me hacía sentir más tranquilo. Después de cruzar la raya de polvo que atravesaba la ciudad de punta a punta, después de visitar el infierno privado de un camello que era lo más parecido a un doctor desconfiado ante las mentiras del paciente, después de que un taxista nos tomase a los dos por extranjeros y después de ofrecerse de guía turístico para contarnos lo del toro escapado, después de esto, de aquello y de lo de más allá, después de todo, solo tocaba esperar la respuesta. Conocer el impulso final que llevó al trompetista a acabar así; rompiéndose el cráneo como rompe un florero contra el asfalto, dejando rosas y cristales esparcidos a lo largo de una calle con el olor definitivo de la muerte. Pero mientras esperaba la respuesta, me iban asaltando las preguntas. Una de ellas: por qué milagro, después de muerto, el trompetista seguía vivo. Incluso más vivo que cuando todavía estaba vivo, no sé si me explico. Carteles, películas, música, en fin, la leyenda del trompetista iba a más, día tras día, después de su maldita muerte. Luego vendrían otras preguntas, incógnitas que se despejarían años después. Para ser exactos, la primavera pasada, cuando el pianista Enrico Pieranunzi vino a actuar a Madrid dentro del ciclo dedicado a las sonatas de Scarlatti.

6

Poco antes de pasar por Madrid, el trompetista había grabado su testamento en Italia. Los dos últimos discos de su vida los realizó con Enrico Pieranunzi, uno de ellos a dúo y donde la trompeta desnuda se deja acariciar por el piano hasta el lamento. El disco entero es una acuarela triste, una interpretación doliente tras otra. Me acerqué hasta un centro oficial italiano situado en la calle Mayor de Madrid y donde tenían programadas las sonatas. Mi intención no solo era evidenciar el gusto español en las composiciones de Scarlatti, sino también poder hablar con el pianista. Así fue.

Enrico es un hombre simpático, siempre con las gafas de ver resbalándole por la nariz y el mismo aire paternal que deben tener los encargados de las trattorias en Roma, quiero decir, con cierta tolerancia a los clientes que se pasan dándole al frasco. Enrico me recibió en camerinos y yo me presenté como uno de los perseguidores de su amigo, el trompetista. Así empezamos a trabar conversación.

Me contó que los dos últimos discos, en especial el que grabaron a dúo, era una demanda de amor del trompetista a su última mujer, que acababa de dejarle sumido en una depresión. La misma depresión que arrastró durante toda su vida. Una pelea continua consigo mismo y al borde de un pozo donde caería rendido y ciego. Era entonces cuando las mujeres se acercaban. Según Enrico, lo hacían para que el trompetista no se sintiera tan solo ni tan culpable.

—Porque el desamparo de los inocentes siempre es más hermoso que el de los condenados. En los condenados, sobra —me aseguró Enrico.

Enrico también me habló de Ruth Young, otra de sus mujeres, y de la pareja que formaban, de cómo el trompetista una vez estuvo a punto de matarla practicando con el cable del teléfono alrededor de su cuello. Ella siempre aseguró que el trompetista era muy bueno con la boca. Con estas y otras anécdotas, el trompetista salía y entraba en nuestra conversación, unas veces solo y otras acompañado de sus mujeres. De vez en cuando, también se colaba Scarlatti, de quien Enrico era estudioso. Enrico sostenía que Scarlatti se contagió del aire español como pocos músicos. La prueba era que hasta se tradujo el nombre propio, poniéndose Domingo Scarlatti. Aproveché el interés de Enrico y le llevé hasta la casa donde murió Scarlatti, en la misma calle Leganitos, entre una ferretería y un local de manicura china. Se quedó un poco decepcionado, todo hay que decirlo, cuando vio la fachada de granito y un rombo de latón pintado en amarillo con el escudo del Ayuntamiento y la leyenda aquí vivió y murió Scarlatti.

Fue cuando salió el tema de la macabra placa recordatoria que hay en la fachada del Prins Hendrick y que recuerda la muerte del trompetista. Un relieve lapidario que señala el lugar donde murió. Como si la atracción morbosa de su vida formase parte de una ruta turística, entre esquinas meadas y el olor definitivo de la muerte. Enrico me aseguró que el trompetista se sentía a gusto en Ámsterdam.

—Ciudad de canales, caminos y putas que van en bicicleta al trabajo —apunté yo, por hacer el chiste.

—Pero uno nunca es de donde nace, es de donde trabaja y muere —sentenció Enrico, señalando la placa dedicada a Scarlatti.

7

Luego me siguió contando que el trompetista, al poco tiempo de instalarse en Ámsterdam, se dejó las llaves de casa dentro del coche y después olvidó dónde lo había aparcado. No se le ocurrió otra cosa que llamar al timbre de la vecina de abajo y contarle lo sucedido. La vecina le dejó pasar y el trompetista cruzó por su apartamento y salió a la parte de atrás. Entonces la vecina pudo ver con sus propios ojos cómo el trompetista escalaba los balcones de la fachada como un gato y entraba en el apartamento por la ventana de la cocina.

—¿Como un gato? —pregunté a Enrico, a sabiendas de que la incógnita estaba a punto de despejarse.

—Sí, eso dijo la vecina —afirmó—, como un gato.

Y fue terminar Enrico de decir esto y mirarme, para después quedarse inmóvil con las cejas arqueadas y una expresión de asombro, como si Enrico también hubiera despejado la incógnita. «Come un gatto». Era la respuesta que llevaba años esperando. Como un gato. El detalle concluyente que no venía en el informe y que facilitaba las cosas para resolver una muerte. Tras escuchar el relato de Enrico, me figuré al trompetista llamando a la puerta del hotel, ha perdido las llaves y necesita subir a la habitación para coger su trompeta. Tiene una actuación en pocos minutos, no se acuerda de dónde ha podido perder las llaves, y sigue golpeando la puerta del hotel, pero el vestíbulo está apagado y, en vista de que nadie le abre, decide gatear la fachada. No hay tanta altura. Peores fachadas había trepado.

Recuerdo que me despedí de Enrico y me dediqué a beber durante toda la noche. Nada mejor que el licor para atravesar la fatalidad del insomnio.

Mientras amanecía y en la espera del sueño, imaginé lo sucedido muchas veces. Pude ver al trompetista gateando la fachada del hotel en busca de su trompeta. También pude ver la caída fatal, una tragedia que descalabraría a un Romeo con ganas de acariciar a su Julieta, que le espera sobre la cama. Entre el remolino de sábanas, asoma la calidad del metal. Ella busca música al igual que hay otras que buscan hombres y dinero. Me he preguntado muchas veces qué canción estaría esperando la trompeta, qué polvo de una boca malhablada y embustera. Tal vez My funny Valentine o, mejor, You'd be so nice to come home to, o ninguna de los dos, sino una de cosecha propia, una pieza que el trompetista nunca llegaría a interpretar, un bolero dedicado a un toro perdido en mitad de la Gran Vía madrileña y a su encuentro con un matador en gabardina. Una pieza de amor, engaño y muerte que hiciera gemir su trompeta como él solo sabía, acercando el último aliento de su boca antes de acabar con el cráneo roto en pedazos, bajo el foco ingente de la luna llena y en posición fetal, dando a entender que la naturaleza imita al arte siempre que puede.

El vientre de Saturno

Cuenta la leyenda que Saturno fue tan mal hijo que castró a su padre con la intención de hacer juegos malabares con sus pelotas. Y que no contento con tal jolgorio, lo mandó a paseo, desterrándolo para siempre. A fin de no correr la suerte de su padre, Saturno fue devorando a sus hijos, uno por uno, hasta que, al llegar al sexto, su mujer envolvió una piedra con unos pañales. Saturno cayó en la trampa y, después de ingerir la piedra, se tumbó a dormirla. Así, aquel pequeño que había sido salvado con engaño creció hasta llegar a una altura suficiente como para hacerle a su padre lo mismo que este hizo a su abuelo, pero asegurándose de que vomitara a sus cinco hermanos antes de enviarle al destierro. Según cuenta la leyenda, de esta manera nació la Asamblea de los Dioses, es decir, el Olimpo.

1

Sucedió en Londres, a principios del siglo pasado. Por aquel entonces, raro era el día en que las aguas del Támesis no amaneciesen cubiertas con la sangre oscura del aborto. Un sopor de piedra envolvía algunos fetos, mientras otros flotaban como esponjas. Por decirlo de alguna manera, las prácticas abortistas se extendían en Londres cual ladillas sobre monte de Venus. Y esto último era asunto que excitaba la curiosidad pública.

Varios fueron los periódicos que agotaron sus tiradas al hacerse eco del suceso. Y hasta hubo un semanario que aportó fotografías de un feto, de poco más de seis meses y cordón umbilical alrededor del cuello. Ante tanto alboroto, al jefe de la policía no le quedó otra que sacarse el puro de la boca e improvisar diligencias, dando orden de arrasar domicilios así como sujetos que se relacionasen con tales prácticas. Con el argumento de que la Naturaleza y Dios forman un todo único, los policías destinados a tan honorable misión pusieron a trabajar a sus chivatos. Una niebla de acusaciones envolvió la ciudad.

Enrico Malatesta, anarquista exiliado en Londres, fue detenido en su domicilio por dos agentes de policía y llevado hasta un merendero, cerca del río, con el objeto de probar si las huellas de sus zapatos se correspondían con las encontradas en la orilla, frescas aún y localizadas junto a otras menos profundas, y que al jefe de la policía se le antojaron parecidas a las huellas de un feto al ser arrastrado. Después de la comprobación, Enrico fue conducido a Scotland Yard para declarar acerca de un aparato de oxígeno hallado en su domicilio. Al final, el anarquista italiano fue puesto en la calle cuando una tal Georgina Hill confesó ser la mujer que había abortado cerca del merendero, reconociendo haber estrangulado al feto con el cordón umbilical, antes de arrastrarlo al río.

Además, la tal Georgina reveló que el hijo era producto de una noche de pecado que tuvo con dos hombres a la vez. Dio sus descripciones, así como sus señas. Uno era muy moreno, el otro menos. Ambos vivían en la calle Sydney. El jefe de la policía, mirada perruna y puro entre los labios, movilizó a una montonera de hombres[9] . Él mismo dirigiría la operación desde primera línea. Por decir no quede que el pavimento de la calle retumbó con su llegada. Apareció subido en lo alto de un carro, rodeando con su brazo el cañón de la ametralladora. Antes de dar la orden de abrir fuego, ajustó la mirada hacia la ventana de la casa. Iba a roerles los huesos.

Las descargas de la fusilería se alternaron de un extremo a otro de la calle. Cada poco, el tableteo de la ametralladora contagiaba las fachadas de viruela. Cercana la noche, el jefe de la policía, con el cuello del gabán subido hasta las orejas, encendió el último puro que guardaba en el bolsillo. Aspiró hondo y dio orden de prender fuego a lo que había quedado de la casa. Nadie se opuso, ya se sabe que nunca hay que meterse entre un perro y su hueso. A partir de entonces, el jefe de la policía, Winston Churchill,

9 El número de efectivos movilizados para tal operación fue de cuatrocientos, colocados en dos baterías, una a cada extremo de la misma calle. De esta forma, y disparando de forma alterna, conseguirían hacer contrapunto sobre la casa donde se escondían los culpables de haber corrido el vientre de Georgina Hill.

pasaría a ser reconocido como el héroe de la calle Sydney.

2

Días después de los sucesos, un joven atraviesa la ciudad en bicicleta. Cuenta poco más de treinta años y el mostacho le queda como un postizo sobre su cara de mozalbete. Un corazón pasado de revoluciones anima su pedaleo y, en el bolsillo de su chaqueta, carga una pistola. Es anarquista, su nombre es Pedro Vallina y responde al apodo del Tigre.

De mirada gatuna y dedo ágil, el Tigre fue nacido en Guadalcanal, como él solía decir. Sevillano pues, tuvo que salir de España y echarse a Francia, desde donde sería expulsado a Londres, años más tarde, junto a otros anarquistas[10] . Mientras se mantuvo en la clandestinidad, el Tigre ejerció su labor de médico por los barrios londinenses más desfavorecidos, prodigando remedios y dando calor a las conciencias. Se movía en bicicleta y lo hacía por las noches, sin permitir que ninguna luz proyectara su sombra.

10 El Tigre estuvo implicado en el atentado sufrido por Alfonso XIII en París el 31 de mayo de 1905. Salió libre del juicio debido a que no se pudo probar nada en su contra. Sin embargo, muy pronto sería expulsado de Francia. A primeros de mayo de 1906 fue conducido en tren hasta la ciudad de Dieppe. Desde allí atravesó el Canal de la Mancha, y desembarcó en la costa inglesa, en la ciudad de Newhaven.

Aunque el suceso había ocurrido días atrás, los rescoldos de la calle Sydney perforaban la niebla. Fuego loco que al Tigre incendiaba por dentro, de ahí el brillo de la aventura en sus ojos fieros. Scotland Yard había distribuido su retrato por todo Londres y el jefe de la policía, Winston Churchill, ofreció una recompensa de su propio bolsillo, o eso dijo, por la captura del Tigre. Ante tal acoso, el anarquista italiano Enrico Malatesta sugirió al Tigre que se afeitase el mostacho. Con todo, al Tigre le sonrieron los bigotes, pues la idea de distribuir retratos con su jeta era un asunto que nunca daría resultado.

Según el Tigre, la policía creía saber cómo funcionaba la cabeza de un hombre en este sentido. Primero se mira la fotografía y luego se buscan tipos que se parezcan a ella. Sin embargo, para el Tigre, los mecanismos de la mente humana no eran tan sencillos como la policía conjeturaba. Según él, en la mayoría de los casos, la mente, siempre predispuesta a encontrar puntos de semejanza, olvidaba las diferencias y sucedía que se encerraba al que no era. Por lo mismo, el Tigre sostenía que en las cárceles todos eran inocentes.

Y así iba el Tigre, con su mostacho de puntas semejantes a los cuernos de un carnero y sus ojos felinos, abiertos a la noche, igual que en el retrato que había distribuido Scotland Yard por toda la ciudad de Londres. Pedaleando, a través de la niebla, cruzó Charing Cross y entró en un barrio oscurecido por el humo de las chimeneas. La hoyanca de Whitechapel llamaban a aquel suburbio londinense donde se acumulaba la parte podrida del mundo. El Tigre se bajó de la bicicleta y, llevándola del manillar, fue esquivando los cuerpos que dormían al raso, unos pegados a otros. De madrugada, se incorporarían en tropel, como en el viejo cuento, abriéndose camino entre los penachos de humo negro, dispuestos a guerrear entre ellos por un empleo. Aunque la actividad de las fábricas era incesante, el ejército industrial de reserva se preparaba para la Gran Guerra con la tripa pegada de hambre[11].

Las botas crujieron, culpa de la humedad que se colaba por las suelas. El viento aullaba como manada de lobos y traía el polvo y las astillas. De vez en cuando, arrastraba las hojas de algún periódico, formando remolinos de noticias. Titulares donde la sangre tibia del aborto cortaba las aguas del Támesis.

Había escondido la bicicleta bajo las escaleras de la entrada, media docena de peldaños fregados con el orín de la incontinencia. No es que fuera un buen sitio, pero de momento no había otro. Una vez disimulada la bicicleta, se acomodó la pistola. Y con

11 En agosto de 1914, ante la invasión de Bélgica por parte de Alemania, Inglaterra declarará la guerra a Alemania. El hombre terrenal no había imitado a sus dioses paganos y aún no se habían constituido la Asamblea de Naciones Unidas, emulando a los hijos de Saturno liberados que fundaron el Olimpo. Todavía no existía distinción entre guerra «legal» e «ilegal».

la mano en el bolsillo ojeó la calle, por si alguien lo seguía. Al comprobar que la noche no ofrecía peligro, se acercó hasta la puerta de un antiguo almacén y golpeó con los nudillos. Al poco, escuchó la decisión de los pasos. Uno, dos, tres, cuatro. Aplastando su nariz contra el cristal atisbó la figura del compañero, que venía con un candil en la mano. Se trataba de Enrico Malatesta, el anarquista italiano de flacura teatral y distinguida. A la luz del candil, sus pómulos eran rugosos y duros, semejantes a dos nueces. Luego estaba la barba, igual que una llama invertida por el fuego. El aliento del Tigre se quedó pegado en el vidrio como nube de vapor, durante un instante; entonces, Enrico Malatesta abrió la puerta. El chirriar de las bisagras fue un gemido más de la noche.

Nada más entrar, su instinto felino le puso sobre aviso del peligro que le acechaba. Enrico acusó la tensión de su compañero y desparramó la luz del candil por la galería. «Desde que el héroe de la calle Sydney juega a los dardos con tu retrato, pareces nervioso». El Tigre sonrió con medio bigote, y fue al escuchar las toses cuando le vino la crispación al rostro. Sin dejar de acariciar pistola, el Tigre penetró en la oscuridad y se abrió paso por el local abarrotado de gente, hasta llegar al estrado. De un brinco se plantó en la tarima, clavada sobre unas cajas de frutas. Con ayuda del compañero Enrico, fue desplegando unos lienzos en todo el frente del escenario.

No había terminado de colocar el último y el reflejo del peligro ya le asomaba a los ojos. Arrugó el bigote, como si algo apestase cerca. Y mediante una indicación de barbilla, indicó a su compañero el lugar donde se distinguía a una pareja de hombres. Enrico Malatesta le devolvió la mirada y ensombreció el rostro. No había duda, eran los de la partida de la salchicha [12].

Uno era grandote, el otro flaco y largo como un listón. Ambos llevaban mostacho y el que era como un listón lo apretaba contra el labio, igual que si no tuviera dientes. Con el semblante serio y la mano contra el forro del bolsillo, el Tigre estableció con su compañero que la señal sería un fogonazo. «Luego, despéjame el camino». Y sin más, enganchó el foco a un cable pelado que salía del techo.

Cuando la bujía de luz empezó a chisporrotear como aceite al fuego, el Tigre arrancó a ilustrar su plática: «Un padre siempre quiere lo mejor para sus hijos —decía, a la vez que señalaba el dibujo de un preservativo hecho a partir de una tripa de cerdo—. No obstante, esta telaraña para el peligro suele ser a veces un mal paraguas que puede romperse en medio de la tormenta». El Tigre, ante las risas de la concurrencia, se mostraba prudente, sin perder de vista el fondo, allí donde se destacaban los bultos

12 Se denominaba así, con este mote, a los policías secretas debido a que disimulaban de manera torpe el bulto de su porra en el bolsillo.

de dos hombres. Uno de ellos, el del bigote prieto, seguía tomando notas.

Ahora el Tigre señalaba el dibujo de una vagina, abierta igual que una fruta en el centro del lienzo y toda ella saeteada por nombres científicos. «Para evitar embarazos no deseados, nada mejor que el coitus interruptus, apearse en marcha, vaya, pero pisando sobre seguro, esto es, con un lavado de asiento largo y con vinagre. Antes y después de cada coito». Así, el Tigre daba las recetas, señalaba los diferentes métodos para hacer el amor sin peligros. Luego, para abundar aún más en lo de no traer hijos al mundo, el Tigre citaba la proporción por la cual, de seguir naciendo seres humanos, se acabarían las subsistencias y al final terminaríamos guerreando unos con otros[13]. Sin dejar de acariciar la culata de su pistola, pintaba un trazo de humor sobre el grueso apocalíptico. «Para

13 El Tigre exponía la teoría malthusiana, por la cual la población crece en progresión geométrica mientras los alimentos solo lo hacen en proporción aritmética. Dicho de otro modo, que la capacidad de crecimiento de la población es mucho mayor que la capacidad de la Tierra para producir alimentos. El creador de esta teoría fue Thomas Robert Malthus (1766-1843), clérigo británico de patillas pobladas y estudios superiores en Economía. Aunque Marx criticó los postulados de Malthus, calificando a este como abogado de la burguesía, lo cierto es que Malthus tuvo una gran influencia en el pensamiento de los llamados «hombres de ideas avanzadas». Así se revela en Darwin, en su concepto de lucha por la vida como origen de la selección natural. Las medidas de Malthus para el control de los nacimientos fueron determinantes en el pensamiento anarquista de principios del siglo XX.

no llegar a ese extremo, hay que poner remedio, pero, de momento, para acabar con el apetito, qué mejor que alimentarse de los bebés sobrantes». Hasta en los ratos más oscuros, aprovechaba el Tigre para pulverizar dioses de alabastro con el mortero pagano de su lengua. Al fondo del local, seguían los de la partida de la salchicha.

Después de perorar acerca del origen del ser humano, aseguró que durante los nueve meses de preñez el feto pasa por los diferentes estados zoológicos que el hombre ha tardado en recorrer miles de años, desde que era un anfibio hasta llegar a su estado actual: «Un antropoide con vicios burocráticos». Dicho esto, el Tigre justificó el uso de dilatadores cervicales, espéculos y pinzas largas que sustrajesen el embrión antes de hacerse renacuajo. Soluciones extremas, y «en extremo evitables», decía él, pues siempre, de primeras, había que intentar que reapareciese el flujo menstrual con ayuda de extractos hervidos y otros remedios caseros. Al fondo, los de la partida de la salchicha seguían con atención la conferencia. En el techo, los cables chisporroteaban como si de un momento a otro fuese a ocurrir algo. El Tigre esperó el fogonazo al filo del estrado. Fue un azul demasiado eléctrico, como el chasquido del rayo que anuncia la tormenta. Duró un segundo, que el Tigre aprovechó para huir, saliendo al escape del local. «¡Al ladrón, al ladrón! —gritaba Enrico Malatesta, mientras apartaba a empellones a todo aquel que estorbaba el paso del Tigre—. ¡Al ladrón!». Y así fue como el Tigre alcanzó la calle. Pero cuál fue su sorpresa cuando, nada más salir, miró a su alrededor y los ojos se le llenaron de cólera. Le habían robado la bicicleta.

3

El viento hinchaba sus ropas. Iba con la pistola en la mano y la mirada acuchillando la niebla. Por corazón llevaba una campana. Jadeante, recorrió el laberinto de callejuelas que formaban la hoyanca de Whitechapel. Torciendo a la izquierda, el Tigre se perdió noche adentro. Al rato, dos siluetas, una alta y la otra más gruesa, desaparecieron por el mismo sitio.

Cuando llegó hasta un edificio de ladrillo que cortaba la calle, el Tigre se detuvo. Había oído pasos tras él. Los de la partida de la salchicha le mordían los talones y al Tigre no le quedó otra que ponerse a gatear por el muro alto. Alcanzó el tejado. Mientras los murciélagos revoloteaban sobre su cabeza, el Tigre se descolgó hasta el patio interior. Una vez ahí, lanzó una fugaz mirada sobre sus hombros por si, desde algún ventanuco, lo observaban. De un puntapié abrió el portal y se plantó en una calle mal iluminada. Echó a andar por ella. Llevaba la mano metida en el bolsillo y agarraba la pistola como si apuntase el camino a seguir. Así alcanzó la primera esquina, donde se detuvo a comprobar si venía alguien detrás. En vista de que el camino estaba despejado, continuó andando hasta más allá del final de la calle. Amanecía cuando el Tigre llegó a su guarida.

Se trataba de un sótano que le había proporcionado el compañero Enrico. Antes había servido como almacén de verduras y cobijo de ratas a la hora del amor. El Tigre había limpiado sus rincones, y ahora el único mamífero que allí reinaba era él. La estancia se había ido llenando de libros de esos que el Tigre llamaba importantes, y que iba dando uso según necesidades. Sin ir más lejos, se servía de los de Bakunin y Kropotkin para calzar la mesa. Y utilizaba a Clausewitz para atrancar la puerta por dentro. Pues bien, el Tigre encendió un candil y fue hasta la despensa. Sacó un trozo de queso envuelto en un paño y unas manzanas. Utilizando el cuchillo a modo de tenedor, se sentó a la mesa y, con el carrillo inflado de queso, el Tigre movió bigotes y atiborró la andorga. Recogiendo con el cuchillo los restos de comida que quedaban en el plato, más la ayuda del dedo, los empujó hasta la boca. Luego se tumbó en la cama y agarró un libro que pronto se le caería de las manos. En su descenso, el Tigre quiso alcanzarlo, hundiéndose en un sopor de manzanas y queso fresco. Solo se despertó cuando aparecieron los de la partida de la salchicha. Entonces se levantó de la cama con una mirada turbia y pesada. «Quieto, no se mueva». Fue el más flaco el que se acercó a desarmarle. Continuaba con la manía del bigote, igual que si le doliesen las encías. Luego, el gordo soltó: «No quisimos molestarle en su propaganda pero, debido a la oscuridad que había en la sala, apenas pudimos tomar notas. Tiene que ayudarnos. Entiéndalo, ganamos un jornal muy reducido y no queremos aumentar el número de hijos».

Por un momento, el Tigre creyó haber encontrado esa región del cielo donde dicen que Dios se aloja y que los anarquistas combaten sin piedad.

La primera vez

Fue verlo entrar y empezaron con las señales de una esquina a otra de la barra. Traía en la mirada la timidez del principiante, el escalofrío del que está a punto de descubrir el sabor de la primera carne.

La rubia, que se hacía llamar Caty, saltó la primera, provocándole con una de sus manos, cerca del bulto. Con la otra sostenía el cigarrillo:

—¿Qué, de estreno?

Él se fijó en la boquilla manchada por el carmín, en las uñas postizas, en los disparos de humo directos hacia la luz de color. Estuvo a punto de decir algo, pero el nudo en el gaznate le impidió articular palabra. Es cuando la mano de Caty se precipita a la cremallera, con viejo oficio, y pone los ojos en blanco, parpadeando, dando a entender a las demás lo que el joven cargaba.

—¿Cuántos años tienes, guapo? —le vino desde atrás aquella a la que llamaban Carla; pelo de mechas, ojos y labios recién pintados igual a una vampira del cine de terror, pero con medias de rejilla y un abrigo de pieles, a la manera de capa. Viene dispuesta a chuparle. Pero el joven hace un aspaviento, manifestando que poco o nada quiere de ella. Ni de ninguna. Es cuando se recompone, toma aire, va y suelta:

—Me llamo Pedro y vine aquí a conocer a mi madre, pues me dijeron que aquí trabaja.

Lulú

1

Era de boca tirando a grande y besucona. Se llamaba Lulú o eso decía. La última vez que nos vimos fue de lejos, en el vestíbulo del hotel donde yo trabajaba por las noches.

Recuerdo que apareció a la hora prevista y que traía las ropas pegadas al cuerpo, igual que si hubiera estado bailando bajo el aguacero que a esas horas caía en Madrid. Era de esas mujeres que saben combinar con gusto la lluvia y el cristal de las medias, así como los tacones con el champán frío.

Aquella noche venía dispuesta a saltar sobre su próximo cliente, un mejicano cargado de plata y grueso revólver, cuyo nombre no voy a chistar. Tan solo decir que dejaba buenas propinas y que era un tío de costumbres, de los de piñón fijo, vaya, pues cada vez que caía por Madrid se alojaba en la habitación de siempre, una suite en piso alto, achicharrada por los anuncios luminosos de los tejados.

Desde ahí arriba, el mejicano se dedicaba a entrenar su puntería o, por lo menos, eso daba a entender arrimado a la ventana, con el revólver por delante y los ojos de iguana puestos en algún punto fijo de la noche.

Era su costumbre y, como si le costase mucho cambiar de hábitos, aquella noche, al igual que todas las demás noches, había mandado poner a enfriar una botella de champán. Y que le llamase a Lulú.

—Que venga ahorita mismo —imperó, apuntándome con el billete de cincuenta, directo a mi bolsillo. Entonces no pude evitar fijarme en sus manos. Eran tan finas y tan capaces para el crimen como para la caricia—. Ahorita mismo —repitió.

Con el billete de cincuenta raspando mi bolsillo, terminé de servir el pedido. Fue al ir a dejar el botellero, con el champán y las dos copas, y como por casualidad, cuando advertí el maletín negro a los pies de la cama. Entonces el mejicano crujió los nudillos, haciéndolos sonar como el que parte nueces.

Cuando me volví, sus ojos de iguana escupieron la advertencia. Por si no hubiese quedado claro, se llevó la mano al sobaco, allí donde cargaba el grueso revólver. Su rostro era el rostro de un mariachi prieto y huesudo, dispuesto a tocar la trompeta. Alzando barbilla, me indicó la puerta. El rezongo de la lluvia sacudía los cristales y las luces de neón teñían su bigote de un rojo cardiaco.

Salí de la habitación apurado. Desde el mismo pasillo y desde mi propio teléfono, llamé a Lulú. Su insultante crudeza me confirmó que vendría pronto:

—Dile al mejicano que ya salgo y que, entre tanto, lo vaya disponiendo todo para que la muerte no le pille con la manicura sin hacer.

Lulú no tardaría en asomar. La muerte había hecho sus planes, la lluvia y el barro salpicaban el vestíbulo del hotel, y sus dos piernas relucieron como armas de fuego recién engrasadas. Con el pisar de mucho muslo, llegó hasta el ascensor. Antes de que se cerrasen las puertas, columpió su boca en el espejo para dirigirme una sonrisa. Esa fue la última vez que la vi. El recuerdo de aquello no es algo que se cure eliminando el café después de las cenas.

2

Lo habíamos tramado durante el verano, en la intimidad de su coche, un flamante deportivo abierto al cielo raso y con un motor que sonaba parecido al ronroneo de una gata. Lulú lo conducía hasta las afueras de Madrid y, donde a ella le parecía bien, echaba el freno. Y con la noche de su boca se ponía a afilarme la bragueta. Terminada la tarea, me escupía la espuma del delito como si arrojase tiempo perdido y volvía a recordarme la cantidad que el mejicano llevaba en aquel maletín. «Más de un millón, cariño».

—Pero, Lulú, esos billetes estarán manchados de sangre —replicaba yo.

—Da igual, los cambiaremos en moneda.

En el asiento de su coche probé el sabor del infierno y por su boca supe que la ambición es la más sucia de todas las rameras. Me dejé enredar en su lengua y acabé empapado en la humedad de su aliento. Lulú era irresistible. Una mujer que reunía la belleza y la inteligencia necesarias para reducir a un hombre a pellejo. Como yo no iba a ser menos que los demás, así fue que me dejé el pellejo en el asunto, aunque en un principio me negase. No es agradable tener que romperle el cuello a alguien —lo más que llego a partir es una barra de pan con las manos desnudas—, pero, ya digo, al final Lulú me convenció.

—Hay que asesinarle, cariño —me decía ella—. No ves que, si después de darle el palo, lo dejamos vivo, estamos perdidos. Sería capaz es de encontrar las huellas de nuestras pisadas allí donde nunca hayamos puesto los zapatos.

—Mira, Lulú, jamás he matado a un hombre —recalqué— y solo pensar en la posibilidad de hacerlo, se me altera el sueño.

—Deja el café.

—No puedo, Lulú, me temblarían tanto las manos que, más que matar, parecería que me estuviera abanicando.

Entonces a Lulú le entraba la carcajada como si llevase la boca llena de risa y no pudiera contenerse.

Al final me vino a convencer de que repartiríamos el trabajo. Ella se encargaría de liquidar al mejicano y también de llevarse el maletín. Una vez apiolao, yo tenía que hacer desaparecer su cadáver. Meterlo en mi coche y enterrarlo, a poder ser en un sitio más callado que una tumba.

Un escalofrío me recorrió el lomo. Hasta entonces, el único cadáver que había llevado en el maletero era el de la rueda pinchada. Lulú advirtió mis temores y me los vino a tirar con una de sus sentencias:

—Haz cuentas, cariño. En este puto mundo, un hombre vale lo mismo que el siguiente.

Su boca era tan hábil para cometer delitos como para practicar la justicia. Con el fuego de la ambición iluminando el asiento del coche, yo recibía aquella boca hasta dejarme convencer. Y con los restos del encanto en la punta de su lengua, sellamos el pacto.

3

Lulú tenía estudiados los movimientos del mejicano. En los últimos tres años llevaba hechos más de una docena de servicios para él. Siempre en la misma habitación. Yo oficiaba de alcahuete y, según ella, al mejicano le gustaba largar.

—Es como pasa en la tele, para diez minutos de acción, antes tiene una que tragarse media hora de publicidad.

Así iba Lulú, sacándome las tiras del mejicano con el látigo de su lengua.

—Sabes, cariño, el mejicano es de esos que se va quedando sin hambre a medida que mastican.

Y te piden que les azotes y que les metas las bragas en la boca hasta asfixiar su decencia. Así hacen la digestión. Parece ser que el mejicano no corría las cortinas, dejaba que los relámpagos de neón achicharraran el cuarto. Servía el champán en pelota, pero sin desprenderse de la cartuchera bajo el sobaco. Tampoco de los calcetines, siempre a la deriva. Con las copas servidas, empezaba la publicidad.

—Yo le dejo largar, solo interrumpo cuando se me escapa un bostezo.

Seguía Lulú contándome que, una vez bebido el champán, daba comienzo el jolgorio. Los diez minutos se reducían al trámite de las bragas, culminando con una de las medias, o incluso las dos, alrededor de la garganta prieta del mariachi. Entonces los ojos del mejicano se inflaban, como globos a punto de estallar.

—Y ahí se termina todo, cariño.

Lulú humedeció la sonrisa para darme a entender que, ahí, donde terminaba todo, empezaba lo mío. Ya dije que ella lo había calculado al dedillo, pues Lulú venía del fondo de una poza donde la mierda siempre había estado más limpia que ella. Tuvo que espabilar desde muy chica. De ahí la arena de sus ojos y el barro en la mirada.

Con el matiz peligroso que ponen las mujeres en la voz cuando retan a la muerte, Lulú me iba contando su plan. Si no es por su agudeza, se me hubiesen pasado por alto detalles tan indiscutibles como los que hacían que el mejicano llegase solo al hotel y sin más compañía que su grueso revólver. Según Lulú, el mejicano actuaba así por razones de seguridad.

No sé si tengo dicho que el hotel donde yo andaba empleado está justo encima del Museo de Cera, por donde Colón tiene su estatua. Y que la ubicación elegida por el mejicano era estratégica. Lulú me descubrió estos y más detalles que, hasta ese puto momento, habían pasado inadvertidos para mí.

—Tienen la zona rodeada de secretas, por un lado están cuidando a los jueces de la Audiencia que se sienten amenazados, ya sabes, cariño, temen que cualquier día de estos les metan una bomba que les ponga las piernas a cruzar solas el Paseo del Prado. Luego están los peces gordos de la calle Génova que siguen siendo los mandas de Madrid. Y cada uno lleva tres o cuatro policías detrás.

Todo indicaba que así era y que, para no complicarse la vida, el mejicano se había buscado un sitio donde fuera tan difícil robarle, como imposible. Además, nunca pisaba la calle, cuando lo hacía era para coger el taxi de vuelta al aeropuerto. Se pasaba las horas pegado al cristal de la ventana, con el revólver por delante, dejándose teñir el bigote por los relámpagos del neón cercano. Ya dije que era cliente asiduo y que hacía reserva con antelación. A las dos o tres noches de llegar, pum, se largaba. Se iba como venía, sin más equipaje que su revólver bajo el sobaco y el maletín negro, cargado en la mano, caminando por el vestíbulo con el brazo separado del cuerpo, igual que si sufriese de golondrinos. Un taxi le recogía en la misma puerta del hotel. Y adiós muy buenas.

4

Pasados los calores, vinieron los fríos, las nubes cargadas de lluvia y los malos presagios. Y con nubes y lluvia, llegó la noche de autos y el champán frío. Lulú había dejado el deportivo en un aparcamiento que hay debajo del hotel y al que los empleados tenemos acceso por una puerta que comunica con el sótano. Después de llamar a Lulú por teléfono, me aseguré de que la tal puerta seguía abierta. Esto tenía su importancia pues por esa misma puerta, y después de terminar la faena, Lulú iba a escapar con el maletín. Y por esa misma puerta tenía que salir yo con el cadáver del mejicano. Por lo mismo atranqué las bisagras con ayuda de una cucharilla.

Cuanto más se acercaba la hora, peor. Mi cabeza atravesaba pasillos con horrores tan punzantes como navajas rasgando el papel pintado de mi cerebro. Pero se lo había prometido a Lulú. Además, no creo que un criminal lo sea menos por reconocer sus delitos. Si lo cuento ahora no es por otra cosa que por aligerarle peso a mi conciencia y que mi conciencia aparezca flotando como un cadáver sobre la sangre de estas páginas. Por decir que no quede: hasta que conocí a Lulú yo no había sido más que un borrón en los ojos de todas las mujeres. Un hombre de paso al que en los momentos más íntimos confundían con otro. Ahora que tenía una mujer que confiaba en mí, no iba a dejarla tirada. La prueba de confianza no era otra que la alfombra en la que Lulú había envuelto el cadáver del mejicano.

—No puedo ver un cadáver, Lulú, me daría un vahído y echaríamos todo a perder —le dije el día de vísperas, mientras hacíamos preparativos y yo le daba el trozo de soga que acababa de comprar en la ferretería—. Ata bien la alfombra, Lulú — recalqué—, date cuenta de que tengo que arrastrarla hasta el montacargas, bajar hasta el sótano y de allí tirarla escaleras abajo. Hasta el garaje.

—¿Algo más, cariño? —preguntó, cargando mucho la mirada en sus ojos, tanto como si aliñase una bala con veneno.

Desde que Lulú apareció en el vestíbulo del hotel, hasta que subí a la habitación del crimen, pasaron cuatro horas que parecieron durar cuatro años. En todo ese tiempo no paró de llover. Y yo estuve contando las gotas de lluvia sobre la cristalera del vestíbulo, así como el que cuenta los balazos que le quedan para morir.

Me hice el cuadro una montonera de veces; los imaginaba en la intimidad cardiaca de la habitación, el mejicano lamería las gotas de lluvia de los hombros de Lulú antes de probar el sabor de la muerte. También le supuse con las bragas en la boca y la media de cristal alrededor del cuello, abriendo y cerrando las mandíbulas con la fuerza de un cepo de caza.

5

Acabado mi turno, llegada la hora, subí a la habitación. Cuando abrí la puerta, no noté nada raro, exceptuando que las cortinas estaban echadas y que por ello las luces del neón teñían la alfombra enrollada con un fulgor mortecino. Exceptuando este detalle, todo estaba igual que cuando el mejicano la dejaba libre. Con la misma peste de siempre a sobaco y herramienta.

Lo de disimular un cadáver envuelto en la alfombra también había sido invención de ella. Con mucho ojo, Lulú había observado el trajín continuo de muebles, colchones, alfombras y enseres que nos traíamos los del personal del hotel. Si te veían desocupado, enseguida te embaucaban para cambiar la neverita de la 450 por otra. Y, de paso, pintar la habitación de al lado. O te ponían a llevar el colchón de la 569 al sótano, o traer el somier del entresuelo, o reponer botellitas, o renovar las alfombras. Por eso nadie sospechó de aquella alfombra que arrastré hasta el pasillo y rodé escaleras abajo, hasta el garaje. Fue todo un número llegar al coche, pues la luz se apagó un par de veces, lo que convirtió el garaje en una espesa negrura en la que tropecé, precipitándome de rodillas con todo el peso del cadáver sobre los charcos del suelo. Pero lo peor vino después.

Cuando salía de Madrid, allí donde la carretera se esfuma en el horizonte, dos policías motorizados me hicieron la seña para que me echase a la cuneta. Con el estómago encogido de puro miedo y tres arcadas de resignación, así hice.

—No he rebasado el límite de velocidad —protesté, con la garganta atravesada por la espina de la ley.

—No le hemos parado por rebasar el límite de velocidad —me advirtió el más joven.

Agaché la cabeza, clavé la mirada en sus botas lustradas por la lluvia, en los neumáticos de la motocicleta.

—El piloto de atrás, el izquierdo, que no luce. Tragué la espina de mi garganta y resoplé por el esfuerzo.

—Anda, pues no me había dado cuenta.

—Por eso le vamos a multar, por no darse cuenta. Cámbielo, por favor.

Fue en ese momento cuando supe que, si abría el maletero para coger el recambio, estaba perdido. Así que dije que no llevaba bombillas, por si las flais.

—Las presté, ahora que me acuerdo.

Como si se lo supieran de memoria, me indicaron que no podía salir a la carretera.

—Imagínese usted que le confunden con una moto, y que van a adelantarle. Entonces, pumba. —El poli más joven chocó sus manos—. Ya la tenemos liada.

Total, que después de todo me acabaron escoltando hasta la gasolinera
más cercana. Allí renové la bombilla de mi piloto izquierdo. Una vez superado el trance y apoquinada la multa, los policías se marcharon. Amanecía y el cielo presentaba el mismo color gris que la piel de una rata vieja. Seguía lloviendo.

6

Al final de la carretera, donde el horizonte se muda en abismo, tomé un desvío. Con las ruedas pesadas de barro me puse en el sitio donde estaba cavada la fosa. Yo mismo la había abierto, la tarde de vísperas, dale que te pego con la pala. Ahora, la lluvia la había convertido en un lodazal tan turbio como lo iba a ser mi suerte. Antes de arrojar la alfombra, miré a un lado y a otro. Nadie a la vista, tan solo un perro al que tuve que ladrar para que no olisquease. Sin más, dejé caer el peso a plomo y me puse a embarrar el agujero con ayuda de la pala. Golpeando la blanda tierra conseguí espesarla como si fueran unas gachas. Una vez cumplido el entierro, tragué aire para recuperarme del esfuerzo.

Sobre un mapa arrugado Lulú había hecho una cruz en el lugar donde íbamos a encontrarnos. Iba a ser en plena carretera, a la salida de Madrid, cerca del aeropuerto. «Ahí te espero». Sin más tiempo que perder me puse en marcha.

Conduje a través de la lluvia, con la autopista borrosa al otro lado del cristal como en un sueño pasado por agua. Cogiendo los desvíos señalados, en diez minutos o así, llegué al lugar que ella había marcado con una cruz. Su deportivo esperaba bajo el aguacero. Movido por un impulso repentino frené allí mismo, salí del coche y atravesé la lluvia con el corazón en un puño, dispuesto a fundirme con Lulú en un beso húmedo y apasionado. Cuando la puerta del deportivo se abrió, vi salir al mejicano.

Vestía una gabardina igual a las que se ponen los hombres a la salida de los colegios para repartir caramelos. Llevaba la solapa subida y la arrogancia también, como si quisiera quedarse instalado en ella para siempre. De momento, yo no podía hacer nada por impedírselo. Se aproximó para ajustarme el cañón entre las cejas. He de confesar que las piernas no me respondieron, que hundí las rodillas en el charco de la cuneta y que rompí en un vómito caldoso y turbio como el barro en el que yo mismo había enterrado a Lulú. Con los ojos cerrados solo esperaba la explosión que terminase de una vez por todas con la pesadilla. Había probado con creces el sabor de la derrota y no me merecía un final tan largo. Parece ser que el mejicano me leyó el pensamiento pues dejó de taladrarme con el revólver. Entonces me cogió de las solapas y me levantó en vilo.

—En tu caso, las balas son inútiles, el plomo no mata a quien ya está muerto.

La mascota

1

Apoyado en la pared, el Chosco hacía pantalla con las manos para encender un cigarro. En casos así, el viento de levante no respeta ni a los presos.

—Qué, Chosco, que me he enterado de que mañana te sueltan —se le acercó Joselito con una pregunta a la que sobraba respuesta.

El patio entero lo sabía. Con todo y con eso, el Chosco aspiró la primera bocanada y afirmó con la cabeza varias veces, como diciendo sí, Joselito, que sí, que mañana salgo a la calle. No me lo recuerdes.

—Lo malo no es salir, aquí tienes tus comidas, tu gimnasio, conoces a medio patio, lo malo es cuando te tienes que buscar la vida fuera y te vuelven a entrar de virgen en otro maco donde no conoces a naide y te toman de pipa.

—Ya te digo —aseguró Joselito, que se lo conocía de carrerilla—. Ya te digo. Lo peor está ahí fuera —señaló con el dedo el muro que los separaba de la calle.

El Chosco le pegó otra pitada al cigarro y sonrió.

—Qué me vienes a vender, Joselito.

Entonces, como si el muro del penal tuviera

oídos, Joselito le empezó a secretear al Chosco por lo bajinis. El viento traía ráfagas de la conversación. Se trataba de un secuestro nada complicado. Un trabajito de esos en los que se las podía apañar una persona sin ayuda de nadie. Según lo pintaba Joselito, la fulana era una de esas que van alicatadas hasta el merengue.

—Si la ves cuando sale —decía Joselito—, si la ves, siempre luciendo mucho colorao y con unos sortijones como garbanzos.

—¿En el mismo Sotogrande?

—Sí, es fácil, te maqueas para no dar el cante.

—Olvídate del atrezzo, suelta prenda.

La conversación transcurrió así durante un rato. Yo sabía que Joselito no le soplaba el asunto como prueba de amistad por haberle salvado en las duchas, recién entrado, uno de los jueves que no pagó la deuda al economatero. «Cuatro cajetillas de tabaco», le recuerda con la mirada el Chosco. «Eso es lo que valía tu culo en aquellos momentos, Joselito. Si no es por mí, te empujan la mierda pa'lante». A pesar de cargar chantaje en la punta de sus ojos, el Chosco promete que repartirá algo con la familia de Joselito. Para que lo lleven bien mientras él sigue dentro.

—Iré a verlos después de trincar la pasta.

—Claro —asintió Joselito—. Para qué antes.

Luego le siguió contando detalles que, ya digo, me llegaban a golpes, por obra y gracia de un viento que se había levantado a primera hora de la tarde y que abrasaba las palabras y las orejas. También consumía el cigarrillo del Chosco.

—Date cuenta de que la tía no pela un día sin bajar a la playa esa de Torreguaidario.

—¿Por qué lo sabes? —preguntó el Chosco con señales de malicia en su expresión. El asunto que le proponía era tan fácil que parecía mentira.

—¿Necesitas que te oriente?

—Mira, Joselito, yo me oriento solo, con ayuda de mis pelotas. —Se echa la mano a la entrepierna—. Son mis cuadrantes —dice y mantiene el gesto, como el que espanta un picor mientras Joselito sigue contando detalles.

—Su perrito hace las necesidades y la fulana se embarra con arena negra de la playa. De seguido se pega sus baños en el mar, se viste, coge un palitroque y lo tira para que el perro se lo traiga. Así hace dos o tres veces. Luego agarra el perro y vuelta a casa.

—¿Cómo dices que se llama el perro?

—Pues cómo se va a llamar, pues Toby, como todos los perros. Joder, qué preguntas, Chosco, si pareces madero. Dame un pitillo anda. —Antes de abrir la cajetilla, el Chosco lo mira y le clava los ojos, como diciéndole lo caro que sale el tabaco.

—Sabes una cosa, Joselito, al hijo de puta se le conoce por los apellidos.

Joselito hace como que con él no va el asunto. Conoce a su padre, aunque no conoce al padre de su hermano. Pasa hasta en las mejores familias. Se ajusta el cigarro a la boca y el Chosco sopla la punta del suyo y se la tiende a Joselito. Después de soltar la primera bocanada de humo, Joselito sigue contando...

2

Al día siguiente, a primera hora de la mañana, el Chosco salía del Penal del Puerto. Afuera no lo esperaba nadie. «Mejor así», masculló el Chosco mirando al cielo tras sus gafas de espejo. Echó a andar y fue llegando a la altura de la desviación del Puerto Sherry, donde se le presentó una de esas oportunidades que se le presentan a uno en la vida, me diría tiempo después Joselito, cuando todo el patio sabía ya que al Chosco le habían ligado.

—Era sencillo. Lo que pasa es que el Chosco da mucho el cante. Qué coraje de hombre. Qué coraje. —Llegado aquí, Joselito se pone a soltar una cuerda de improperios que ahorcaban a la parentela del Chosco por donde más duele.

—¿Pero al final no le pillaron por robar la furgona? —le pregunté yo, que algo había oído al respecto.

—No, pero ese es otro marrón que se come y los que se va a comer con ese. —Joselito lo dice con la rabia del que sabe que la ocasión está perdida—. Solo hay tres cosas que no se pueden recuperar en la vida, amigo —sigue diciéndome—: la palabra cuando ha sido dicha, el tiempo y una oportunidad.

Según iba diciendo Joselito, el Chosco tenía dinero, los amigos que le habían prestado la furgoneta también le habían dejado guita. Así que paró en el Garum, una casa de mujeres a la entrada de Conil, donde se le llevaron la mitad de lo que tenía.

—Ya sabes que lo de echar un polvo es un asunto que está sobrevalorado —apuntó Joselito.

—Qué me vas contar. Solo hay que ver los precios que tienen las putas.

—Total que después de los revolcones el colega se echa a dormirla. Cuando le da el punto, sin prisas y haciendo diferentes paradas, el Chosco llega a Sotogrande. ¿Y sabes qué hace cuando llega a Sotogrande? —me preguntó Joselito, como si yo no lo imaginase.

—¿Qué?

—Pues el muy mamón se compra ropa, se guapea, come en los mejores restaurantes, deja buena propina y va luciendo puntos hasta que se queda sin guita —me cuenta Joselito, que no puede contener su enfado.

—En él es inevitable —le quito yerro al asunto—. Ya sabes cómo es él de presumido. Se cambiaba todos los días de chándal y cualquiera pisaba sin querer sus zapatillas.

—Pero en un palo, amigo, lo que hay que pillar es punto medio, ni dar el cante de fanegas, ni tampoco de perita, no sé si me explico —dice

Joselito, muy puesto en la materia.

Luego vino lo mejor del caso. Según me contó Joselito, el Chosco se pone a pispear por la playa por si ve a la fulana. Al final da con ella, a la tarde y con el perro. De momento pinta bien el asunto, con los sortijones emitiendo destellos que van, vienen y rebotan en los espejos que lleva el Chosco por gafas.

—El tío no espera a que ella tome baños de tierra ni de agua ni de nada, no tiene paciencia, su temperamento nervioso le lleva primero a sacarle las sortijas y luego a coger al perro y llevárselo. A las bravas.

—Menudo escándalo.

—Hay que ser más fino —remata Joselito.

—Era un perro pequeño, me figuro —digo yo, como si no supiese nada del plan, como si aquella tarde, en el patio, el viento no me hubiera secreteado el asunto a mí también.

—Uno de esos perros piloneros —me asegura Joselito, que sabe de qué va la cosa.

—Ya.

Luego se me pone a contar que además de las sortijas, el Chosco le robó también el teléfono móvil.

—Y aprovecha la primera llamada que recibe, que resulta ser una amiga de la fulana, una de su cuerda, con la que juega a la canasta. ¿Conoces el juego? —me pregunta, como si fuese a desvelar un secreto importante.

—No.

—Yo es que lo conozco porque se lo vi a la fulana. Se juega con dos barajas de póquer. Pero lo que te venía diciendo, al final la amiga de la canasta es la que llama. El Chosco coge el teléfono y se presenta. Dice que tiene a Toby y que como no paguen la recompensa le curte el lomo. Luego advierte para que no llame a la policía. Cuelga y al poco recibe llamada de la fulana. Un hilo de voz preguntando por Toby. El Chosco se pone duro con el requerimiento.

—¿Tanto dinero se puede pedir por un perro?

—Sí, claro. A lo mejor por un hijo no lo hace esa gente, pero por un perro no veas. Ah, y no te vayas a creer que lo que tiene la fulana es rollo sentimental con su Toby. Qué va, es otro rollo, el Toby es uno de esos perros que hacen el servicio completo.

—Ya —aseguré, pues sabía de este tipo de prácticas, sin ir más lejos yo mismo, en una noche de fiesta, cuando en ningún burdel me querían atender pues el bolsillo andaba flaco, llegué a un gallinero y pagué lo que tenía por una gallina ponedora. Pero no me quiero ir de tema; iba diciendo que al Chosco le habían ligado y que al final resultó ser un fracaso de secuestro. Vayamos por trozos.

3

La dueña del perro contactó dos veces más con el Chosco; la primera para decir que no dispondría de todo el dinero hasta el lunes, que abrían los bancos.

Así que el Chosco decidió ocupar su tiempo libre en vender los anillos por la comarca y en hacer una visita. Como era hombre de palabra, después de colocar los anillos al peso en una joyería de La Línea, el Chosco le llegó a la mujer de Joselito con algo de dinero y las ganas de encamarse con ella. El Chosco reconoció su disposición al trote en cuanto le abrió la puerta. Llevaba un cigarro prendido en los labios y el muslo desnudo; abierta la bata. Los senos lucían al aire con dos cabezas de dos churumbeles. El Chosco llegaba en buena hora. La mujer de Joselito, con un gesto de barbilla los invitó a entrar. Al Chosco y al perro. Para no levantar sospechas, el Chosco va y dice a la mujer de Joselito que es su nuevo empleo, que ahora pasea perros de las damas de alta alcurnia, según sus mismas palabras. Por decir que no quede, el perro venía sufriendo, de manera gradual, una agitación nerviosa siempre acompañada de jadeos y babas y que le ponía a frotar sus partes más nobles contra árboles, ruedas de coches, patas de bancos, así como todo saliente que encontraba. Animalito. En un principio, el Chosco atribuyó el estado del perro a la mudanza sufrida por el animal; algo común en la mayoría de las mascotas, sensibles al cambio de dueño. Pero cuando la mujer de Joselito, con ojo clínico, dicta- minó que lo que le pasaba al perro era otra cosa, una cuestión vulgar de vicio, y que solo se conseguía eliminar de una forma, el Chosco comprendió entonces que el perro exigía un premio diario que iba más allá de las galletitas. Conociendo al Chosco, es posible que sopesase la idea de pedir el favor a la mujer de Joselito. Pero el Chosco se cortó y no porque le diera apuro, ni tampoco porque la mujer de Joselito anduviese ocupada en dar de mamar a sus niños, qué va. No lo hizo porque establecería un vínculo peligroso y el perro, llegada la hora, podría mostrar querencia. Sin más, el Chosco se tumbó en la cama y se dejó hacer por la parienta de Joselito, mientras el perro restregaba sus partes más delicadas a la dureza de la pata de una silla. Cabe señalar que, llegados a este punto, los niños dormían mansos ajenos al trajín. Después de varios restregones y un sinfín de posturas, el Chosco coge al perro y se larga con él. Lejos de las miradas, lo acaricia hasta bajar su fiebre. Hay que apuntar que fue rápido y en la misma furgoneta. Así que se limpió en los pantalones y se puso al volante. Pero no había llegado a Sotogrande cuando tuvo que parar la furgoneta de nuevo para repetir sus caricias a la mascota. Así estuvo el Chosco un día más, por las playas de Tarifa y Conil, haciendo tiempos y gustos al perrito. En la mañana siguiente, la del lunes, recibiría la segunda llamada de la dueña. Le dijo que ya tenía el dinero, en billetes grandes. El Chosco agradeció el detalle, pues según comentó tenía agujetas en las manos. La entrega sería inmediata. Primero el Chosco coge el dinero sin complicaciones, en un sobre grande, depositado en una papelera de Algeciras, según instrucciones.

Luego va y deja al perrito atado cerca de la comisaría del mismo Algeciras. Todo sale a pedir de boca. Pero, claro, el perro demostró querencia y al final volvió tras los pasos del Chosco. Por eso le ligaron. «Síndrome de Estocolmo, que llaman», me diría Joselito, en el patio, mientras nos echábamos un cigarrillo a la sombra. Sentado, la espalda en la pared y las rodillas abrazadas, Joselito me reveló que estaba al tanto de estas cosas porque se las había contado la parienta en el último vis. Pues no era otra que su parienta la que estaba con el Chosco cuando apareció el perro de nuevo en la casa y el Chosco se lo llevó al pinar, para ahorcarlo, según ella. Esas eran sus intenciones cuando lo ligaron.

—Ya, entonces ¿al final no llegó a ahorcarlo?

—El perro se salvó. Volvió con su dueña. Solo que a veces se escapa y llega hasta Alhaurín que es donde al Chosco le han entrado. Por lo menos el Chosco ya tiene a alguien más que le espera fuera —remató Joselito, tocándose la frente.

Sangre callada
Relatos rescatados

ÍNDICE